D1330004

CHEZ LE MÊME ÉDITEUR

TITRE	AUTEUR	PRIX
COMMENT J'AI APPRIS À M'AIMER	Gay Bryant & Bockris Wylie	$5.95
VOTRE RÉINCARNATION	Jean-Louis Victor	$6.95
L'ANSE À LA LANTERNE	Ulric Maurice	$5.95
VOUS AVEZ LA PAROLE	Jean Humbert & Paul Thierrin	$6.95
L'ANTICONTE DE MARIE-REINE TORCHON	Micheline Leblanc Bélisle	$5.95
LE POUVOIR	Michael Korda	$9.95
CHANGEZ VOTRE VIE	Nena O'Neill & George O'Neill	$7.95
LE MARIAGE OPEN	Nena O'Neill & George O'Neill	$3.95
EXPÉRIENCES DE FEMMES SEXUELLEMENT LIBÉRÉES	Adelaide Bry	$6.95
PRISONNIER DU BONHEUR	Marc Roberge	$2.50
MANUEL D'ASTROLOGIE	Werner Hirsig	$5.95
LA MAGIE DE VOIR GRAND	David J. Schwartz	$6.95
UN AUTRE CÔTÉ DE L'AMOUR	Anne Duffield	$2.95
SI TU VOYAIS CE QUE J'ENTENDS	Tom Sullivan	$6.95
LA JOIE TOTALE	Marabel Morgan	$4.95
LA FEMME TOTALE	Marabel Morgan	$4.95
LA VIE APRÈS LA MORT	David Wheller	$6.95
LA DAME DU SUD	Élisabeth Bontemps	$5.95
LE DIABOLIQUE HOWARD HUGHES	Richard Mathison	$7.95
L'A-B-C DE L'ASTROLOGIE	Werner Hirsig	$4.95
VOS ZONES ERRONÉES	Dr. Wayne W. Dyer	$7.95
SOYONS POSITIFS	Norman Vincent Peale	$7.95
LES CHEVAUX DU TEMPS	Vercors	$7.95
LE LANDEAU ÉCRASÉ	Richard Deutsch	$7.95
LES EXPLORATRICES DE L'INVISIBLE	Simone de Tervagne	$6.95
TENDRE RACHEL	Marie-Claude B. Tremblay	$6.95
AVENTURES DANS LES TÉNÈBRES DE TOM SULLIVAN	Derek L.T. Gill	$7.95
LA MAIN PARLE	Pierre Dorval	$5.95
LA CLEF DU SUCCÈS	Michèle Curcio	$5.95
L'HOMME TOTAL AUJOURD'HUI	Dan Benson	$9.95

En vente chez votre marchand habituel

ou chez

PRESSES SÉLECT LTÉE
1555 Ouest, rue de Louvain
Montréal, Qué.

MARTINE CAROL
OU
LA VIE DE MARTINE CHÉRIE

DU MÊME AUTEUR

PAULINE CARTON. Éditions Jean Dullis (épuisé).

IRRÉSISTIBLE FERNAND RAYNAUD. Éditions Jacques Grancher.

Georges DEBOT

MARTINE CAROL
OU
LA VIE DE MARTINE CHÉRIE

Préface de Mary Marquet

PRESSES SÉLECT LTÉE
1555 Ouest, rue de Louvain
Montréal, Qué.

Je remercie bien vivement Jean Duperrieu et Ludovic Lebon de m'avoir confié des documents concernant Martine Carol.

Les photos qui illustrent ce livre sont des documents Parimage, Dorlys, AGIP, Lynx, R. Guillois, Raymond Voinquel, Keystone, Paris Internationale Presse, Ici-Paris, Michel Povada, etc., ainsi que des photos de films tournés par Martine Carol et des documents provenant des archives personnelles de l'auteur.

La couverture de ce livre est de **Sam Levin.**

DÉPÔT LÉGAL:
Bibliothèque Nationale du Canada
Bibliothèque Nationale du Québec
3e Trimestre 1979
ISBN : 2-89132-105-7

Si tous les gens qui disent du mal de moi savaient ce que je pense d'eux, ils en diraient bien davantage...

Sacha Guitry.

A Jean Marie Proslier, et Claude Vicario, mes amis de toujours.

G,D,

Georges Debot était désigné mieux que quiconque pour parler de Martine Carol et fixer à jamais son image dans la mémoire des hommes.

Martine Carol, je l'ai suivie sans la connaître, par un concours de circonstances.

Quand elle a créé *la Route au tabac* avec Mouloudji, j'habitais dans le même immeuble que Georges Marchal, 6, rue Foucault. Cette petite rue aboutit au quai de Tokyo, sur la berge de la Seine.

Georges avait vingt ans. Il venait de débuter à mes côtés à la Comédie-Française et, dans la tragédie, sa beauté, sa plastique faisaient merveilles.

Ce jeune dieu devint l'amant de la plus divine créature que le monde ait connue : Martine Carol.

Les mots sont impuissants à la décrire. Il fallait voir cette harmonie de formes et de couleurs pour en saisir l'exception !

Elle était armée pour vaincre comme personne. Malheureusement cette victorieuse était vaincue à l'avance : c'était une amoureuse, avant tout. Sa passion pour Georges l'a stigmatisée à jamais.

Georges Marchal était désiré par toutes les femmes, cédait à toutes par orgueil et par goût. Que de désespérées j'ai tenues dans mes bras! Habitant l'étage au-dessous de lui, c'est chez moi que les ruptures s'achevaient par des sanglots.

Hélas ! Martine Carol resta pour moi une inconnue !

Seulement, un jour, je fus attirée par du bruit dans la rue. Les gens se précipitaient vers le fleuve.

C'est cette âme que ce livre va vous faire connaître.

J'étais au bord de la berge quand on sortit de l'eau le corps inanimé de Martine. Les yeux clos, elle était d'une pâleur impressionnante.

J'ai vu alors un homme du peuple se pencher sur cette belle bouche aux lèvres mortes, et, sous mes yeux, d'une bouche avide et désintéressée, rendre le souffle à la désespérée.

Je n'ai pas pu offrir de l'emmener, une ambulance était là. La rapidité du drame, celle des secours avaient devancé l'arrivée des journalistes. Quand ils se précipitaient, l'ambulance démarrait. Et j'ai pu lire le lendemain sous forme d'échos railleurs :

« Après sa rupture avec Georges Marchal, Martine Carol a feint de se suicider en trempant ses pieds dans la Seine. »

Parce que Georges Debot connaît bien le milieu « échotiers », parce qu'il a l'expérience de la vie de théâtre et parce qu'il est humain, il a tous les titres pour révéler au monde ce que fut réellement l'actrice qui l'a ébloui.

Je sais, comme lui, qu'elle fut passionnée, simple et tendre, confiante et désarmée. Cet amour du luxe de la parure, du confort, critique dont on l'accable, qu'eût-il suscité s'il n'avait pas existé ? On eût tôt fait de la traiter de cupide et d'égoïste !

Martine Carol a ignoré jusqu'à la paix du tombeau. Rarement réussite humaine fut payée aussi cher.

Mais, comme l'a dit Edmond Rostand : « La gloire la plus pure, c'est d'être une âme dans un nom. »

La mort en cet hôtel

Lorsque Mike Eland entra dans la chambre de la suite qu'il occupait à l'hôtel de Paris, à Monte-Carlo, avec sa femme, Martine Carol, le lit était vide. Après qu'elle eût refusé de sortir parce que, disait-elle, elle se sentait souffrante, il l'avait laissée seule mais était remonté, dans le courant de la soirée pour prendre de ses nouvelles et c'est à ce moment là qu'elle l'avait prié de faire venir le médecin.

— Je sens que je ne vais pas dormir, lui avait-elle dit, et j'ai oublié à Paris la sacoche dans laquelle je range mes médicaments.

Tout devait arriver à cause de cette panique face à une nuit d'insomnie. Ceux qui ne dorment pas ou qui dorment mal comprendront mieux ce drame qui fit couler tant d'encre et donna naissance à de multiples rumeurs.

— J'ai su immédiatement, devait dire plus tard Mike Eland, le quatrième et dernier mari de la star, qu'un malheur était arrivé.

Le cœur battant, il parcourt leur suite, appelle sa femme. Silence. Parvenu à la salle de bains, il frappe à la porte, appelle encore et ne reçoit aucune réponse. Il comprend alors ce que lui a soufflé son subconscient : un malheur est là, tout proche, derrière cette porte close. Ce silence ne peut être que le silence de la mort. Il ouvre et étouffe un cri. Entre le lavabo et la baignoire, Martine, en chemise de nuit, git sur le carrelage. Il se précipite vers elle. Elle est glacée mais toujours aussi belle. Mike la prend dans ses bras, il la supplie de lui répondre, d'ouvrir les yeux, de vivre, enfin. Puis, il la porte sur le lit, tente de la ranimer. Rien, toujours rien. Il demande du secours. Le médecin se présente mais il n'y a plus rien à faire. Martine Carol s'est évadée d'une vie dont elle avait attendu, en vain, monts et merveilles.

Martine Carol a été le type même de la starlette qui réussit à obtenir la célébrité grâce à d'immenses efforts et de grands sacrifices. Mais ces efforts, ces sacrifices, ne furent pas toujours ceux auxquels, dans des rêves d'avenir, on consent avec ardeur et foi. Les efforts furent avant tout dirigés contre l'emprise de la drogue que représentent calmants et somnifères, les sacrifices ceux qu'impose, sans trêve, la recherche d'un amour insaisissable. Jamais elle n'avait réussi à équilibrer sa vie affective.

Les spectateurs qui l'admiraient à l'écran, les personnes qui, après de longues attentes, la voyaient, rayonnante, aux portes des salles où avaient lieu premières et galas, les lecteurs qui dévoraient avec passion les anecdotes que la presse répandait sur elle ne se doutaient pas de la misère morale dont ce genre de destin se paye parfois. Martine n'était pas un diamant pur et dur, mais une petite fille sans résistance avec, au cœur, le désir d'une existence romanesque et aussi une grande ambition : se faire un nom à l'écran.

Tout de suite, dès ses débuts, elle avait connu des déceptions, des jalousies, fourni des efforts qui dépassaient presque ses moyens.

Elle était devenue « Caroline Chérie » et ce surnom lui

allait très bien. Son public l'aimait inconditionnellement. Mais l'amour du public ne nourrit pas cette fringale du cœur qui terrasse parfois les jeunes femmes dont il fait cependant la gloire. Et c'est de cette faim que Martine Carol est morte : une faim d'amour et de sérénité, deux nourritures célestes qui lui ont toujours manqué.

⁂

Pour expliquer son désespoir, ses désespoirs, plutôt, elle avait pris l'habitude de dire : « Je tourne depuis l'âge de 20 ans, j'ai fait quarante-trois films. Quelques-uns sont bons, quelques-uns sont médiocres, quelques-uns sont très mauvais. J'ai essayé de vivre à 180 à l'heure, tout le temps. Un beau jour, mes nerfs ont craqué. Quand je mourrai, je veux être embaumée. Et si je prévois ma mort à temps, je dirai certainement : « Mettez-moi cette robe parce que je l'aime particulièrement. Coiffez-moi. Maquillez-moi. Je veux être belle. Je ne sais pas ce que je deviendrai après, au bout de quelque temps... de quelques semaines dans la terre. Mais, de toutes façons, je veux que le public et les gens qui m'ont connue gardent l'image de cette Martine-là. »

Pourtant, tout devait redémarrer pour elle. Dans les quarante-huit heures qui précédèrent sa mort, trois rendez-vous avaient pu la rassurer sur son avenir professionnel.

La veille de son départ, Martine avait rencontré, dans son appartement de l'hôtel Queen Elizabeth, à Paris, M. Raffler, un médecin égyptien, venu lui confirmer sa participation financière dans le prochain film que Christian-Jaque, avec lequel elle s'était réconciliée depuis leur divorce, devait tourner en septembre avec elle.

Le même jour, le producteur René Chabert lui avait proposé le rôle principal de *L'homme qui valait un milliard.*

Puis, coup sur coup et presque au même instant, l'agence William Morris, de Londres, avait pris contact avec elle pour tourner aux côtés d'Omar Sharif, et Marcel Cravenne lui avait demandé d'incarner Hélène de Troie dans un téléfilm.

Dès son arrivée à Monte-Carlo, alors qu'elle dînait en compagnie de Michèle Arnaud, Carlo Rim, Eddie Barclay et Mme Paul Derval, la directrice des Folies-Bergère, celle-ci lui avait dit :

— Mon mari avait toujours rêvé de vous pour être la vedette d'une de nos revues. Si cela vous chante, chez moi vous serez chez vous.

Elle devait faire une rentrée fracassante à la T.V. dans une émission de Jacques Chazot. Je lui laisse la parole.

— Moi qui adore les stars de luxe, j'adorais Martine. Superbe animal de race, presque toujours traqué, qui tout à coup offrait sa patte. J'ai rencontré Martine quatre jours avant sa mort, dans une émission de Jean Nohain. Nous étions tombés d'accord pour tourner un show télévisé que je venais d'écrire : *Les Cabotines*. Elle était heureuse d'avoir Jacqueline Maillan, Françoise Christophe, Sophie Daumier et Guy Bedos pour partenaires. Le destin en avait déjà décidé autrement.

« Martine et moi nous nous connaissions peu, mais nous savions que nous nous aimions bien. »

***

Au temps où elle avait choisi comme pseudonyme Maryse Arley, Martine avait reçu son premier cachet grâce à Gérard Philipe qui l'avait fait engager à Radio Monte-Carlo pour qu'elle y dît des textes publicitaires.

Vingt ans plus tard, elle y revenait pour mourir dans le plus somptueux palace de la ville : l'hôtel de Paris, où elle occupait, avec Mike Eland, l'appartement 8 555, réservé, en règle générale, à Winston Churchill.

En 1965, elle retournait, pour la dernière fois, dans l'île qu'elle aimait tant, avec Mike Eland. Une fête folklorique tahitienne fut donnée en leur honneur et une variété d'hibiscus mauve, créée spécialement pour Martine, fut solennellement baptisée : « Martine Carol ».

1

Une petite fille comme les autres

Juliette Mourer, lorsqu'on vint lui annoncer que son bébé était une petite fille, fut la plus heureuse dees mamans. Elle avait déjà une fille, mais elle était contente d'en avoir une autre : les petites filles sont douces à élever, charmantes à habiller, et, quand elles ont grandi, elles deviennent pour leur mère des amies et des confidentes.

M. Mourer était un industriel du Sud-Ouest, intéressé dans des affaires de sables, notamment les Sablières de Nemours ; c'est dire que la famille vivait à l'aise. On habitait Biarritz.

La petite fille qui venait de naître, en ce 16 mai 1920, fut baptisée sous le nom de Marie-Louise, et ses parents l'appelèrent familièrement Marise. La sœur aînée s'appelait Elisabeth. La joie était dans la maison.

Le climat de Biarritz, cependant, s'il est excellent en été pour les Parisiens fatigués, est un peu rude, le reste de l'année, avec le vent du large qui apporte l'humidité de l'océan. Aussi la petite Marise, qui n'était pas exceptionnellement robuste, fut-elle bientôt envoyée à Pau, au climat plus continental, plus sec et plus pur. A sept ans, elle entra dans un pensionnat d'excellente réputation.

— La mienne était moins bonne, de réputation, dira-t-elle

plus tard, car je n'aimais pas l'école, je n'aimais que rire et m'amuser.

La vie de province ne convenait pas aux affaires de M. Mourer. La famille dut se déplacer et vint s'installer à Paris. Boulevard Raspail.

C'est à Neuilly que l'on remet en pension notre héroïne. La petite Marise entre chez les dominicaines de Neuilly, établissement où l'on élève et instruit avec soin les petites demoiselles de la riche bourgeoisie de Paris et de Neuilly. Marise Mourer s'y révèle aussi fantaisiste qu'à Pau. Elle n'aime que le piano ; mais, comme on lui fait remarquer que le piano demande beaucoup de travail, elle décide enfin de devenir sage. Elle travaille pour pouvoir, un jour, jouer convenablement de cet instrument très classique. Dans les années vingt et trente, toute jeune fille bien née jouait du piano à la maison et dans les petites fêtes de bienfaisance.

Le pensionnat de Neuilly abrite alors, à cette époque, une certaine Françoise Gilot, qui deviendra, plus tard, la compagne de Pablo Picasso, et Jeanine Darcey, la future première Mme Serge Reggiani.

La vie y est réglée comme papier à musique : on se lève tous les matins, sans exception, à 6 heures, car, avant la classe, il faut assister à la messe, et à jeun, pour le cas où l'on se sentirait en humeur de communier...

La douce période des années trente s'écoule pour Marise dans cette sérénité exempte de responsabilités qu'est l'enfance et que prolonge une adolescence studieuse. Marise a dix-neuf ans en 1939 quand éclate la guerre mondiale. Comme pour bien des jeunes gens et des jeunes filles de cette époque, c'est une sorte de glas, cet événement dramatique auquel on ne peut rien opposer, sinon des larmes et de la patience...

Marise a réussi la première partie du baccalauréat, qui, en ce temps-là comportait deux parties ; mais elle décide de ne pas rester au pensionnat ; un sentiment incontrôlé — une intuition, peut-être — l'engage à changer d'ambiance et à quitter Neuilly. D'ailleurs, que ferait-elle du bac, puisqu'elle n'a pas envie de s'inscrire dans une faculté ? Plutôt rechercher une occupation qui lui permette de vivre des heures agréables.

La peinture ! Pourquoi pas ?

Marise Mourer suit des cours de peinture rue de Seine. Papa et maman ne la contrarient point. On sait bien qu'à cet âge, les jeunes doivent faire leur choix. Ce serait un garçon, il lui faudrait bien préparer une carrière ; mais une fille, et jolie comme elle, a déjà toutes les chances de se marier, d'avoir des enfants et une vie heureuse...

Marise met tant d'application à ses cours de peinture qu'elle entre même à l'Ecole des beaux-arts.

— Je ne suis pas plus devenue peintre que pianiste, racontera-t-elle plus tard. Mais j'ai appris à discerner la valeur des tableaux et à aimer les véritables maîtres. Une chose est d'aimer les tableaux des grands maîtres parce qu'on les trouve beaux ; mais c'est autre chose que les apprécier en connaisseur et pouvoir expliquer pourquoi on les aime, où réside leur principale qualité ; où est en eux la source de bonheur qu'ils diffusent à ceux qui les contemplent.

C'est la guerre et les familles ne surveillent pas très étroitement leurs enfants. Chez les Mourer, on admire la fille aînée qui vient de se marier et qui s'installe dans une existence sereine de mère de famille. On laisse la bride sur le cou à la cadette qui sait si bien obtenir tout ce qu'elle veut par sa gentillesse et son joli sourire. Marise en profite pour quitter les Beaux-Arts et faire une incursion dans la dentisterie. Aussi surprenant que cela paraisse, la voilà à une école dentaire. Sans doute ces décisions impromptues, ces changements brusques ont-ils pour origine des flirts sans lendemain — des « passionnettes », comme il est écrit dans les romans de Gyp, écrivain de la Belle Epoque. Peut-être, à ce moment-là, est-elle éprise d'un futur dentiste. En tous cas, ces études, elle ne les pousse pas loin. Et pour cause ! Elles ne correspondent nullement à son tempérament. Et, à la vérité, on la voit mal maniant le davier, la roulette et prendre l'empreinte d'une mâchoire en vue d'une plaque dentaire.

Après une très brève tentative pour devenir infirmière (bénévole), tentative au cours de laquelle elle s'évanouit chaque fois qu'elle voit couler du sang, elle conclut :

— Je ne suis décidément pas faite pour ce métier.

Elle flâne allègrement dans Paris dont elle sillonne les rues et les avenues avec ses amies. L'une d'elles est Rosine Luguet. L'autre, a le plus joli nom du monde, Micheline Presle. Quant à Rosine, elle porte déjà un nom célèbre dans le monde du spectacle : elle est la fille d'André Luguet et elle tiendra sa place dans les fameux *Branquignols,* de Robert Dhéry.

Un après-midi, Marise se trouve chez Rosine. André Luguet entre dans le salon où bavardent les trois jeunes filles.

— Rosine, dit-il, je serais flatté et honoré si tu voulais bien me présenter à tes amies.

Rosine, s'exécute avec plaisir et, lorsqu'elle lui nomme Marise, le grand acteur regarde longuement la jeune fille et lui dit, souriant :

— Vous êtes très photogénique, Mademoiselle. Vous devriez essayer de faire du théâtre ou du cinéma.

Eberluée, Marise réfléchit. La réflexion d'André Luguet trace son chemin dans sa tête. Si bien que, un jour, elle s'inscrit au cours René Simon.

Elle ne s'en tient pas là. Puisque le père de Rosine lui a dit qu'elle était photogénique, elle commence à poser pour des photographes. Merveille ! Elle ne se lasse pas de ce nouveau travail et même, elle y trouve grand plaisir. Très vite, elle prend du galon, on la demande comme cover-girl. Seulement, ses parents font la grimace. Ils ne sont pas d'accord. « Au moins, lui disent-ils, adopte un pseudonyme.

Tu prétends que être modèle pour photographes est une profession... Peut-être, mais...

— Bon, bon, ne vous énervez pas, répond Marise. Dorénavant, je me ferai appeler Maryse (avec un « y ») Arley. Comme ça, personne ne se doutera que je suis votre fille et vos amis et relations vous garderont toute leur estime. S'ils trouvent une ressemblance entre une photo et moi-même, vous n'aurez qu'à leur dire que j'ai un sosie. De plus, puisque je commence à gagner un peu d'argent, je vais voler de mes propres ailes. Je me mets dès aujourd'hui à la recherche d'un petit appartement où je vivrai seule.

Tragédienne chez Baty.

Entre Maryse (puisque Maryse avec un « y » il y a) et ses parents, ce n'est naturellement pas la brouille. La famille est trop unie pour qu'il soit question de se fâcher avec elle. Mais, quand même, ce n'est plus tout à fait comme avant.

A présent, Maryse navigue dans un milieu qui, il y a quelques mois encore, lui était tout à fait étranger : le milieu des figurantes, des mannequins, des modèles et des jeunes personnes qui fréquentent les cours d'art dramatique.

— Dis donc, lui annonce un jour une de ses camarades du cours René Simon, Gaston Baty cherche des comédiens. Il monte une tournée pour la province et il lui faut pas mal d'acteurs. J'y vais... Viens avec moi. Il faut tenter notre chance.

Maryse acquiesce avec enthousiasme. Gaston Baty, qui dirige alors le théâtre Montparnasse avec Marguerite Jamois, la reçoit. Il se trouve alors en face d'une jeune fille tremblante de trac, qui bafouille, bégaie, se reprend et se sent tellement désemparée que les larmes lui montent aux yeux. Il est vrai que Maryse est maladivement timide.

L'audition pourrait tourner à la catastrophe, d'autant plus que l'apprentie comédienne a choisi une scène de tragédie. Et une tragédie — *Phèdre* — qui ne compte pas parmi les plus faciles : Le miracle s'accomplit, miracle dont elle est la première et la plus étonnée. Gaston Baty l'engage.

— Marie Déa devait jouer le rôle d'Aricie, précisément dans *Phèdre,* lui dit-il. Mais elle a signé un contrat de cinéma. Tu la remplaceras.

Maryse Arley est prête à jouer n'importe quoi pourvu qu'on la laisse monter sur une scène. Elle ferait des bassesses pour passer dans le fond du décor. Mais elle est quand même consciente que l'expérience qu'elle vit intensément n'est pas sans péril. Elle travaille d'arrache-pied, comme une folle, comme jamais elle n'aurait supposé pouvoir travailler. Elle veut arriver.

Arriver, au sens littéral et théâtral du mot, ce sera quand même pour plus tard. En attendant, son acharnement trouve sa récompense. Non seulement Gaston Baty la garde mais, bientôt, Maryse Arley contemple avec une satisfaction grandissante son nom sur les affiches. Elle est distribuée dans *Phèdre, la Mégère apprivoisée, les Caprices de Marianne* etc. Ses partenaires sont Marguerite Jamois, Vandéric, Jean Dasté, et l'inénarrable Robert Murzeau.

Sa joie est sans bornes. On la regarde, on l'écoute, elle revient saluer le public à la fin du spectacle. Ceux qui prétendent qu'il est difficile de se frayer un chemin dans le théâtre ou le cinéma ne savent pas ce qu'ils disent, pense-t-elle. Elle est la preuve du contraire. Et l'on y gagne aussi sa vie.

De la célébrité, on ne se lasse pas, en dépit de ce que l'on prétend. Greta Garbo, je suppose, est un cas unique dans le « movie business ». En tout cas, Martine ne chercha jamais, elle, à passer inaperçue, jamais elle ne joua les blasées. Je me rappelle, un soir que je l'avais invitée à dîner au *Coupe-Chou,* elle se montra hésitante.

— Avec joie, me dit-elle, mais retiens une table à l'écart pour qu'on ne nous voit pas.

Je retiens une table pour deux, bien dissimulée sous l'escalier qui conduit au premier étage du restaurant et baptisée, en raison de la discrétion qu'elle offre, le *Nid d'Amour,* puis je vais chercher Martine chez elle. Elle portait des lunettes noires larges comme des hublots, une écharpe sur la tête, il ne lui manquait que le manteau couleur muraille. Nous nous installons à notre table, nous commandons le menu. Martine me semble passablement distraite, elle regarde la salle mais la salle ne la regarde pas. Soudain, coup de théâtre, Brigitte Bardot entre dans le restaurant. Immédiatement, une rumeur d'admiration, de curiosité, emplit le *Coupe-Chou.* Après une courte hésitation, Martine prend sa décision, envoie promener l'écharpe, les lunettes noires.

— Ce foulard m'étrangle et je n'y vois rien à travers ces verres, m'explique-t-elle.

Ensuite, elle ébouriffe savamment sa superbe chevelure blonde et s'écrie d'une voix claire :

— On étouffe sous cet escalier ! Si on changeait de table !

Dans les derniers temps de sa vie, elle était même, dirai-je, assoiffée de publicité. Mais elle niait ce besoin qui répondait, psychologiquement, à une baisse de popularité dont elle souffrait cruellement. Pour donner le change, elle qui aimait tant, autrefois, être assaillie par les amateurs de photos et d'autographes, feignait de ne plus pouvoir supporter l'enthousiasme des gens. Elle avait ainsi acheté chez Dessange une perruque noire. Elle descendit un après-midi avec moi les Champs-Elysées coiffée de cette perruque et avec, sur le nez, les classiques lunettes noires. Entre l'Etoile et le rond-point des Champs-Elysées, personne ne se retourna sur elle, personne ne l'aborda. C'était plus qu'elle n'en pouvait supporter. A hauteur de la rue du Colisée, elle arracha perruque et lunettes et les fourra dans son sac à main. Immédiatement, le miracle, un moment de gloire fugitif. Elle fut entourée, acclamée, aimée... pour un instant.

***

Au retour de sa tournée avec Gaston Baty, on lui fait un triomphe chez les Luguet. Tout le monde est heureux de la retrouver, tout le monde est heureux de son succès.

— Papa avait raison ! constate Rosine, sans aucune jalousie ni amertume. Tu es faite pour la scène et tu as un physique de théâtre.

Un physique de théâtre qui va singulièrement se transformer au fur et à mesure du temps qui vient et du succès. A cette époque, la jeune Maryse Arley arbore des rondeurs appétissantes mais peut-être un peu trop accentuées, un nez relativement long et joliment aquilin, des cheveux bruns qui bouclent sur les épaules. Elle a aussi des yeux magnifiques, d'un vert de mer très rare, pailleté d'or.

D'autre part, elle est modeste. Quand on lui affirme qu'elle est douée, qu'elle est faite pour la scène, elle sourit.

— Peut-être suis-je douée ? En tout cas, on le dit. Mais ce que je sais avant tout, c'est que j'ai tout à apprendre.

Il n'est donc pas question qu'elle quitte René Simon chez qui elle travaille sérieusement. Car, la primesautière et capricieuse Maryse a bien changé en ce qui concerne l'assiduité à la tâche. Plus d'école buissonnière, plus d'interminables bavardages avec les amies, presque plus de sorties. Elle ne manque pas un cours, suit avec passion les directives de son professeur, se montre zélée, obéissante, attentive. Elle sait maintenant ce qu'elle veut : devenir une actrice. Une vraie...

René Simon, d'ailleurs, s'intéresse à elle. La première fois qu'il l'a vue, il lui a dit :

— Tu tiens vraiment à faire du théâtre, mon petit ?

Maryse se tenait alors parmi un groupe d'élèves et, à la

question — assez étrange — de René Simon, elle avait répondu, avec un sourire : « Mais oui, Maître, puisque je suis là. » Après l'avoir examinée un instant, René Simon reprit : « Tu auras un rude handicap à surmonter : Ta beauté, mon enfant. »

La jeune fille demeura interloquée, les autres éclatèrent de rire. Comme si la beauté pouvait être un handicap, quelle que soit la voie qu'on choisit dans la vie ! René Simon les regarda avec une sévérité triste.

— Il n'y a pas de quoi rire, imbéciles. Si votre nouvelle camarade est douée pour la scène, sa beauté masquera son talent. On la regardera, on ne l'écoutera pas...

Il savait, lui, de quoi il parlait ! Il possédait la pleine expérience d'un métier difficile entre tous.

En plus de ses cours d'art dramatique, Maryse Arley assure sa « matérielle » en continuant de poser pour les photographes de mode. Là encore, elle fait preuve d'une docilité exemplaire. Elle fait exactement ce qu'on lui demande sans jamais protester ni rechigner et garde la pose autant de temps qu'il est nécessaire.

Un jour, une rumeur court chez René Simon. Une rumeur qui provoque une agitation justifiée. Un homme aux sourcils broussailleux et qui tire d'énormes bouffées de sa pipe est dans la salle, tout au fond. Cet homme, chacun sait qui il est : c'est Henri-Georges Clouzot, le célèbre réalisateur.

— Ah ! soupirent les élèves les uns après les autres, s'il pouvait me remarquer ! S'il pouvait me donner un bout de rôle...

Comme tous les autres, Maryse Arley a soupiré, espéré. « Mais non, ne rêve pas, ma fille, ce serait trop beau s'il s'apercevait que tu existes ! ».

Clouzot s'aperçoit en effet qu'une certaine Maryse Arley existe. René Simon appelle son élève et lui fait signe de le rejoindre ainsi que le réalisateur.

— Viens ici, Maryse. Je te présente M. Clouzot qui veut que tu ailles le voir. C'est pour un rôle.

— Moi ? Mais c'est impossible.

— Tu dérailles ou quoi ? Pourquoi est-ce impossible ? Elle hésite, avoue en baissant les yeux :

— Parce que j'aurai trop peur...

Elle va quand même au rendez-vous, naturellement. Elle est bien coiffée, bien habillée, manucurée. Mais son trac n'en a pas disparu pour autant. Devant H.-G. Clouzot qui se retient de sourire, elle se tortille, noue et dénoue le coin de son écharpe, humecte sans cesse ses lèvres sèches, parle trop vite ou reste muette et tremble de tous ses membres. En fait (mais cela, elle l'ignore) elle est tout à fait charmante à regarder, en proie à cet émoi qu'elle n'affecte pas.

H.-G. Clouzot la retient pour jouer dans son prochain film, *la Chatte,* tiré d'un roman de Colette. Maryse vogue dans le bleu, se croit au paradis jusqu'au jour où elle apprend que le tournage n'aura pas lieu et que, par voie de conséquence, elle n'aura pas le rôle. Sa déception la rend malade. Pendant trois jours, la migraine lui serre les tempes, elle est fiévreuse, elle ne mange ni ne dort. Pensez donc ! Elle a déjà parlé partout, autour d'elle, de son premier rôle au cinéma. Elle a eu tant de plaisir à répéter aux uns et aux autres :

— Clouzot m'a engagée pour son film *la Chatte.* Il est venu au cours Simon et il m'a remarquée !

René Simon est navré pour elle. Henri-Georges Clouzot, qui n'a pourtant pas la réputation d'être un homme particulièrement sensible au malheur des autres, l'encourage :

— Ne jetez surtout pas le manche après la cognée, ma petite fille. Je vais tâcher de vous trouver quelque chose.

Maryse le remercie, essuie ses beaux yeux mais sa déception n'en est guère atténuée. La chute a été trop rude.

Clouzot, cependant, tient sa promesse. Quelque temps après, il la recommande à Richard Pottier. Ce dernier prépare *la Ferme aux Loups* et n'a pas encore achevé la distribution de son film. Il engage Maryse pour le rôle de Micky, la jeune journaliste qui conduit, avec François Périer et Paul Meurisse, l'enquête de ce film policier.

Précisément, François Périer lui demande un jour :

— Est-ce sous ton vrai nom que tu joues ?

— Non, je m'appelle Marie-Louise Mourer J'ai pris le pseudonyme de Maryse Arley parce que mes parents ne tenaient pas à ce que je joue sous le nom de Mourer.

— De toutes façons, tu sais, ni Mourer ni Arley ne sonnent bien. Il faudrait te trouver un troisième nom.

Tous deux se mettent à chercher. Après avoir essayé plusieurs noms, François Périer sent l'inspiration venir. A partir d'aujourd'hui, plus de Maryse Arley. Martine Carol est née. Carol... Un nom qui ressemble à un coup de trompette. Il est aussi facile à retenir. Avec ce patronyme génial, il faut un prénom courant, communément répandu, correspondant à la simplicité profonde de la jeune fille ; ce sera Martine.

— Martine Carol ! continue François Périer, c'est facile à prononcer dans n'importe quelle langue. Ce ne sera pas comme pour Charles de Rochefort ! Aux Etats-Unis, les Américains, qui n'arrivaient pas à prononcer correctement Rochefort disaient « Roquefort », ce qui faisait très gastronomique. Il a préféré changer de nom et se faire appeler Chas de Roche. Et Charles Boyer, donc ! Là-bas, de l'autre côté de l'Atlantique, ça donne Chas-Bouille... Faut s'habituer !

C'est donc dans *la Ferme aux Loups* que Martine Carol, ex-Maryse Arley, inaugure sa nouvelle identité.

Les films se suivent.

La jeune débutante du film de Richard Pottier ne passe pas inaperçue. Les critiques la citent et leurs appréciations sont flatteuses. « Tact, discrétion, simplicité, sincérité », sont les qualificatifs qu'on lit dans les articles qui parlent d'elle. Elle en est tellement ravie qu'elle pense à rendre visite à chacun des critiques et à lui poser une question quelque peu saugrenue : « Vraiment ? Vous m'avez trouvée supportable dans *la Ferme aux Loups ?* » René Simon, heureusement, l'en empêche.

Les producteurs et les metteurs en scène n'ont pas été non plus sans la remarquer. Un deuxième contrat suit le premier. Martine commence à croire qu'on lui a raconté des histoires. Une carrière artistique est beaucoup plus facile à mener qu'on le prétend. On y rencontre des déceptions, bien sûr. Elle en a eu un exemple avec *la Chatte.* Mais on a des déboires dans tous les métiers. S'accrocher, serrer les dents, défier le sort et tenir bon, tel est le secret de la réussite. Martine oublie seulement que, au départ, elle n'a pas eu à lutter pour le pain quotidien, comme des centaines, des milliers d'autres. Elle n'a pas connu la course au « cacheton », la chambre sordide, les repas fantômes, les chaussures qui prennent l'eau. Elle a toujours mené, avant de subvenir elle-même à ses besoins, une vie sans problèmes, entre des parents qui ne lui refusaient rien, surtout pas le superflu.

Pour ce nouveau film : *Bifur III* — une sombre histoire de trafiquants et de poids lourds —, Martine bénéficie de sa ressemblance avec Annie Vernay, la jeune actrice qui en a tourné les premières séquences et dont le brusque décès a stoppé la réalisation. Maurice Cam est le metteur en scène de *Bifur III.* Il aime que les actrices destinées à travailler avec lui montrent un profil sur lequel il a des idées bien arrêtées. Au bout d'une journée de studio, il déclare à son héroïne :

— Ton nez est trop long. Avec les projecteurs, ça projette une ombre portée sur la bouche et tu as l'air d'avoir une moustache de grognard. Ça fiche tout par terre. Il faudrait m'arranger ça.

Martine Carol n'échappe pas à la règle. Et, à l'exemple des nombreuses starlettes qui se sont entendu reprocher la longueur de leur nez par Maurice Cam, elle se remet entre les mains du chirurgien le plus réputé de l'époque : le Dr Claoué.

Tout se passe bien. Le nez aquilin de Martine se transforme en « nez Claoué », c'est-à-dire un nez que les chansons de 1900, qui parlent de vieux marcheurs emboîtant le pas aux midinettes, qualifient de mutin.

Elle a changé aussi la couleur de ses cheveux. Maintenant, elle est blonde. Elle sait se farder, mettre en valeur ses yeux, ses lèvres, son teint. Elle a longuement étudié son visage et sait de quelle façon y faire naître, « en les projetant de l'intérieur », comme le lui a conseillé René Simon, les sentiments et les émotions qu'on lui demande d'exprimer. Pour les photographes de plateau, pour les cameramen, elle est la starlette (un mot bien démodé, à l'heure actuelle) idéale. Non seulement elle est sensible à toutes les nuances ; non seulement, qu'elle pleure ou qu'elle rie, elle est toujours ravissante, mais elle ne regimbe jamais quand il faut recommencer la prise de vues ou la photo pour la dixième, quinzième, vingtième fois.

Martine évolue maintenant dans ce milieu de vedettes dont elle rêvait déjà — sans imaginer une seconde qu'elle y accéderait elle-même un jour — quand elle était pensionnaire. Elle admire ingénument avec quelle facilité se poursuit son ascension. A la fin de la guerre, elle signe son troisième contrat. Il s'agit d'un film intitulé : l'*Extravagante Mission.* Henri Calef en assure la réalisation. Ses partenaires sont Henri Guisol, Simone Valère, Jean Tissier, Denise

Grey. Elle incarne un rôle de star américaine très excentrique.

Ce film n'a pas marqué d'une pierre blanche les annales cinématographiques, pas plus que les quelques autres qui ont suivi.

— Je n'en ai pas non plus gardé un souvenir très net, me disait Martine quand elle parlait de cette période. Tu sais, pour moi, ces films ont représenté des paliers successifs, des sortes d'examens de passage, comme il en existe à l'école et au lycée. Chaque film me faisait admettre à la classe supérieure, monter d'un cran. Je n'avais plus les pieds sur terre, je rayonnais de bonheur et la chance ne me quittait pas.

D'autres engagements suivent. Ils lui tombent, disait-elle, « comme des pommes sur la tête ». Rien encore de bien sensationnel. En quittant le cinéma, le spectateur n'en est pas à regretter le prix de son fauteuil, mais dès le lendemain, il a oublié ce qu'il a vu. Ces films, ce sont *Trente et Quarante,* dont le tournage dure un mois et demi à Monte-Carlo. Il y a aussi *En êtes-vous bien sûr ?,* que Martine tourne avec Grégoire Aslan, mieux connu avant guerre sous le surnom de Coco Aslan quand il appartenait au célèbre orchestre de Ray Ventura. Elle commence à gagner pas mal d'argent, les cachets qu'elle reçoit sont confortables et elle est bientôt en mesure d'acheter un appartement au 56 de la rue de Monceau.

Pour elle, l'achat de cet appartement constitue une étape fort importante dans sa carrière. Il est la concrétisation d'une volonté que nul — même pas elle — n'a soupçonné chez Martine.

Mais, plus tard, quand elle évoquera ses années de travail, qu'elle passera en revue les expériences qui les ont marquées, elle regrettera souvent de n'avoir pas suivi la même route que sa sœur aînée : le mariage avec un garçon tendrement et sagement aimé, des enfants, une situation stable et solide au cœur de cette bourgeoisie dont elle est issue. Ces regrets se feront plus lancinants au fil des années, à l'heure des drames et des épreuves. Mais au cas où elle eût choisi cette voie raisonnable, l'eût-elle suivie jusqu'au bout ? Il est permis d'en douter. Il existe une fatalité qui colore la vie de chaque être humain. Nous ne sommes pas intégralement les auteurs de la carrière que nous adoptons. Peut-être n'aurait-elle pas supporté longtemps une vie régulièrement tranquille et confortable, la petite Martine qui, au lieu de devenir Madame-Tout-Le-Monde, subit — plus qu'une autre — la dure loi du vedettariat ?

2

Premier amour, premier chagrin

Comme tous les acteurs, Martine Carol est inscrite dans des agences spécialisées. Les unes lui procurent des séances de pose chez des photographes renommés, les autres des rôles susceptibles de lui convenir. C'est dans ces bureaux que s'arrangent les interviews et les « photos-couvertures » qui familiarisent le public avec les artistes dont il fait la gloire. A force de voir leurs visages sur les couvertures des hebdomadaires et des magazines, les gens ont envie de voir le film, la pièce ou les émissions dans lesquels ces comédiens paraissent. C'est ainsi que, un soir, Martine se retrouve sur la scène du théâtre de la Renaissance, en train de répéter *la Route au tabac*.

Un après-midi qu'elle était allée consulter son médecin, Martine, seule dans le salon d'attente, avise, sur une table basse, une pile d'hebdomadaires. A l'époque, elle partageait très souvent, avec B.B., les honneurs de la couverture. Cette semaine-là, entre autres, Martine paraissait en première page de *Cinémonde* et B.B. ornait celle de *Elle*. Le hasard voulant que Elle fût au sommet de la pile et *Cinémonde* en dernière position, Martine eut ce geste enfantin : elle saisit *Elle*, le mit en dessous et le remplaça par *Cinémonde*.

Bien que *la Route au tabac* soit une bonne pièce et obtienne un succès mérité, Martine n'est pas ravie. Son rôle lui déplaît souverainement. Il l'oblige à porter des guenilles décolorées et ses partenaires n'offrent pas un aspect plus engageant. Tous incarnent de pauvres hères miséreux. Parmi eux, il y a Charles Moulin, qui fut le véritable Tarzan français et triompha, à ses débuts, dans le rôle du berger de *la Femme du boulanger,* aux côtés de Raimu et de Ginette Leclerc. Il était alors brun et musclé comme une brute des bois. Aujourd'hui, il conserve ses cheveux bouclés et sa figure énergique et, avec l'âge, ses muscles n'ont rien perdu de leur tonus.

Dans *la Route au tabac,* il est contraint de rouer de coups la fragile Martine. Ça ne lui plaît pas du tout. Il le répète volontiers à qui veut l'entendre.

— Ça m'embête de lui faire du mal comme ça, à Martine ! Mais si je truque, ça se voit et le metteur en scène pousse des hurlements. Alors, de temps à autre, je lui allonge une vraie taloche et je la secoue comme un prunier. Elle se plaint, naturellement. Il y a de quoi ! Elle est couverte de bleus !

Bien que *la Route au tabac* fasse d'elle une « femme marquée », débuter au théâtre, et sur la scène de la Renaissance, ce n'est pas si mal que ça. Mais à cette occasion, la critique ne la couvre pas de fleurs. Elle n'est qu' « un agréable objet blond ». Martine n'est pas contente.

— Evidemment, dit-elle un jour au directeur de l'agence, ce n'est pas mal, le théâtre. Mais ça dépend du rôle qu'on joue. Je suis dans la pièce une malheureuse sourde et muette qu'une brute assomme de coups tous les soirs. En ce moment, je tourne et le metteur en scène a encore remarqué hier que mes bleus n'étaient pas très photogéniques. Il m'a conseillé de rompre ou de divorcer. Ils plaisantait, bien sûr. Mais quand même, c'est vexant !

A la même époque, elle commence à vivre un roman

d'amour. Et quel roman ! Un véritable feuilleton aux épisodes divers.

A quoi sert un chagrin d'amour ?

Elle est allée dans le Midi, au bord de la mer, avec Mme Mourer. Et c'est là que tout a commencé. Près de Toulon.

Elle apprend que, dans la région, Georges Marchal tourne un film : *les Démons de l'aube.* Pas seul, évidemment, avec toute une troupe d'acteurs. Mais lui seul intéresse Martine. Depuis longtemps déjà, elle l'admire car non seulement il est célèbre mais elle le trouve d'une beauté à couper le souffle (elle n'est d'ailleurs pas la seule !) Une fois de plus, elle s'étonne de sa chance, cette chance qui lui a permis d'être si près de son idole ! Bien qu'actrice elle-même, elle a une réaction de « fan ». Un matin, Georges Marchal se baigne avant de reprendre le tournage. Elle l'attend au sortir de l'eau. Elle s'avance vers lui, plus ou moins faussement intimidée. Elle est, comme toujours, rayonnante de fraîcheur et de grâce, décidée à conquérir. Elle lui présente une feuille de papier, un crayon et quémande un autographe.

Il n'est pas un acteur digne de ce nom qui résiste à pareille prière. Georges Marchal, séduit, signe de fort bonne grâce. Il la regarde beaucoup tandis qu'elle le remercie de sa voix douce. Ils échangent encore quelques mots et Marchal finit par demander à la jeune fille :

— J'aimerais vous inviter à dîner. Etes-vous libre ce soir ?

— Ah ! répond Martine, je suis avec maman.

Et elle achève — très seizième arrondissement :

— Il faut que je lui demande la permission.

— Qu'à cela ne tienne, répond aimablement l'acteur. Je serai heureux de faire sa connaissance.

Comme c'est charmant et gentil, tout ça !

Le soir venu, Mme Mourer et sa fille se font belles et vont retrouver ce comédien qui allie le charme et la célébrité à une évidente simplicité. Au retour, Mme Mourer dit à sa fille : « Il a l'air très bien, ce garçon ! »

Toutes les filles savent ce que leur mère entend par là. Quand une mère estime qu'un garçon est « très bien », cela sous-entend qu'il ferait un mari parfait. Pourquoi pas ? pense Martine, loin d'être hostile au mariage, à condition, toutefois, que ce soit un mariage d'amour. Car elle pense beaucoup à l'amour, Martine, elle a un bouquet de violettes à la place du cœur. Mais, en ce qui concerne le mariage, elle a une opinion plus nuancée que sa mère. Elle n'exige pas une union confirmée par un passage à la mairie et à l'église. Aimée, être aimée lui suffit.

Et c'est ce qui arrive. Martine passe avec Georges, à Nice, plusieurs jours pleins de douceur, de passion, d'espoir, de rêve.

Pour Martine, c'est la sérénité dans le bonheur. Mais elle sent malgré elle — les femmes amoureuses ont de ces antennes — que quelque chose accroche du côté de Georges Marchal. Quoi ? Il n'en parle pas. Sans doute est-il parfois préoccupé par des soucis professionnels. Peut-être, encore, a-t-il des difficultés matérielles dont il se défend, par délicatesse, de lui faire part ? Comment se douterait-elle qu'il y a, comme l'ont dit familièrement, une autre femme dans le circuit ? Georges l'aime, elle en est certaine. Elle le sait célibataire et, comme elle est restée d'une désarmante candeur, elle n'imagine pas un seul instant qu'il n'est pas aussi libre qu'elle se plaît à l'imaginer.

Pourtant, le climat ne cesse de s'alourdir entre eux, si bien que Martine finit par se sentir mal à l'aise. Un jour, enfin, cette tension parvient à son point culminant et se libère. Georges se décide à parler.

— Je n'ai pas encore osé te le dire, Martine, mais il y a un obstacle entre nous.

— Quel obstacle ?

Ils sont dans leur chambre. Georges est en train d'ôter sa cravate, Martine est déjà allongée dans le grand lit. Malgré la chaleur qui entre par bouffées à travers la baie ouverte, elle se sent soudainement glacée jusqu'à la moelle.

— Quel obstacle ? répète-t-elle, la voix blanche.

— Je ne suis pas libre.

— Mais... tu n'es pas marié, que je sache ?

Malgré lui, Georges sourit :

— Non, mais je suis fiancé. Il faut me comprendre, Martine. Tu es belle et puis, il y a eu le soleil, la plage, la tentation. Bref, je n'ai pas su résister à cette tentation et je me rends compte que je suis allé trop loin. Tu penses au mariage et je ne peux pas t'épouser. Dès que nous rentrerons à Paris, il faudra nous séparer.

Qui est-ce ?

— Dany Robin.

Un long soupir tremblé s'échappe de la poitrine de Martine. Dany Robin ? Une jeune actrice très jolie et plus connue qu'elle. Assurément, de vagues propos sont venus aux oreilles de Martine, concernant les amours de Georges Marchal et de Dany Robin. Elle n'y a guère prêté attention, on dit tant de choses. Mais, à présent, la vérité l'écrase. Son cœur bat la chamade et pourtant elle demande très calme :

— Tu veux que nous nous quittions tout de suite ?

Georges hésite. Il devrait saisir la balle au bond, répondre oui, c'est préférable. Il le ferait si, au même moment, il ne se retournait pas vers le lit d'où Martine n'a pas bougé. Il la voit étendue, si belle malgré l'angoisse qui blanchit ses lèvres et cerne ses yeux. Il a un haussement d'épaules découragé. Il est vaincu. Il n'a pas le courage de se séparer d'elle et se donne toutes sortes de bonnes raisons pour cela. Dany est à Paris, eux sont sur la Côte. Peut-être ne saura-t-elle rien de ses amours avec Martine ou, si jamais elle les apprend, peut-être aura-t-elle la sagesse de ne pas en faire un drame ? Comme tous les hommes dans son cas, Georges, d'avoir avoué, ressent un immense soulagement. C'est sur les épaules de Martine que repose maintenant le poids de la décision. Or, cette décision, elle non plus n'a aucune envie de la prendre. Elle aussi se donne mille et une raisons d'y surseoir. Avant de rompre, elle estime qu'il lui faut voir clair dans cet imbroglio, acquérir une certitude. Après tout, rien ne lui prouve que sa rivale a l'intention bien arrêtée d'épouser Georges. Sait-on jamais ? De Georges Marchal, elle est « dingue », reconnaît-elle franchement et quand on devient dingue à force d'amour, on ne pèse pas rigoureusement le bien-fondé et la logique. On fonce en avant, tête baissée.

Les vacances terminées, ils rentrent à Paris. Martine reprend son rôle dans *la Route au tabac,* Georges Marchal signe un nouveau contrat. De Dany Robin, il n'a plus jamais été question entre eux. Mais elle existe, ils le savent. Et pourtant, bien que se rencontrant moins souvent, leur aventure continue.

Prête à tout supporter.

Ils sortent fréquemment ensemble, ils se montrent dans des cocktails, des galas, des soirées. Ils sont invités dans des cabarets. Mais le beau temps de leur amour semble fini. Si Martine est toujours très éprise de Georges, en revanche, celui-ci est de plus en plus nerveux. Il n'arrive pas à choisir entre Dany et Martine. Un jour, à bout de patience, il dit à Martine :

— J'ai décidé de vous présenter l'une à l'autre. Viens déjeuner chez moi demain.

Elle accepte et, pour elle comme pour Dany, la situation est bien embarrassante. Imaginez la scène. Elles se rencontrent pour la première fois. Dany s'en tire assez bien. Elle tend ses deux mains à Martine, et, en les serrant amicalement dans les siennes, lui dit en souriant : « Je suis tellement heureuse de vous connaître ! J'espère que nous allons devenir des amies. »

Martine comprend qu'il ne lui reste qu'une chose à faire : s'en aller le plus vite possible et ne jamais revenir dans cette maison. Mais cela, c'est le premier mouvement, le bon. Le second est moins adroit : elle n'ose pas partir, elle ne sait comment s'y prendre pour quitter l'appartement sans avoir l'air de jeter l'éponge. Elle ne trouve pas de bon prétexte parce qu'elle ne *veut* pas en trouver et elle ne *veut* pas à en trouver parce que, pour rien au monde, elle ne *veut* se séparer de Georges. Tout serait si facile si Dany acceptait, purement et simplement, de lui céder la place. Des fiançailles, ça se rompt. Et puis, dans le monde du spectacle, tout le monde sait qu'un acteur est fiancé à une actrice quand ils ont une liaison. Et une liaison, ça se rompt aussi. Elle aime tant Georges ! Dany ne peut l'aimer davantage, ni même autant qu'elle...

Cependant. la position de Martine devient intenable. Bien que ne cessant de travailler, elle n'a jamais un franc. Tous ses cachets, elle les dépense chez le coiffeur, en soins de beauté, en toilettes, en colifichets, en achats de meubles ou d'objets pour son appartement où elle ne désespère pas de vivre un jour avec Georges. Un Georges dont le comportement a de quoi la déconcerter. Par moments, son attitude est telle que Martine s'attend à ce que le couperet tombe, qu'il lui dise : « C'est fini. » Mais il suffit qu'elle même démontre quelque lassitude pour qu'il se dépêche de la reconquérir d'un regard, d'un mot, d'un geste tendre. Elle l'aime toujours. Passionnément. De plus en plus. Il n'empêche que ce cruel jeu de « Cours après moi que je t'attrape » a de quoi épuiser les nerfs les plus solides.

Un soir, après la représentation, elle quitte le théâtre de la Renaissance. Elle n'a pas d'argent pour manger quoi que ce soit dans une brasserie et le concierge du théâtre lui offre une tasse de café qu'elle avale en vitesse. Il lui faut rentrer tout de suite chez elle, s'habiller et ressortir pour courir au rendez-vous que lui a donné Georges. Elle ne sait pas exactement où ils vont, il a tout juste parlé d'un cabaret où ils sont invités. Pour cette sortie, il lui aurait fallu une nouvelle robe du soir. Il est impossible de se montrer partout avec la même robe parce qu'on rencontre, en quelque endroit qu'on aille, les mêmes personnes. Chaque sortie exige une toilette neuve ou, à la rigueur, une déjà portée mais savamment modifiée pour qu'on la reconnaisse difficilement. Souvent, Martine échange des vêtements avec ses amies. Pour ce soir, elle a, à la dernière minute, emprunté un ensemble en lamé or à une certaine Régine. Le temps lui a manqué pour le porter à nettoyer. Georges l'a prévenue trop tard. Elle met l'ensemble, aperçoit une petite tache... Pourvu qu'il ne la voit pas ! Mais elle n'a pas le choix. Elle quitte son appartement, court à son rendez-vous, l'estomac creux et avec l'espoir qu'il y aura un souper. Une vraie fringale lui tord les entrailles. Martine jouit d'un solide appétit et elle a une heureuse nature. Elle peut manger ce qu'elle veut et autant qu'elle le veut, elle ne prend pas un gramme.

Elle demande à Georges s'il y a un souper de prévu. Non, pas le moins du monde et la question de Martine agace visiblement l'acteur. Il n'est pas dans ses bons jours.

— Je t'ai dit que nous allions dans un cabaret, pas dans un restaurant. Tu n'avais qu'à manger un sandwich chez toi quand tu es rentrée t'habiller.

Ils se rendent directement au cabaret le *Don Juan* où le directeur, le prince Amilakurny, les accueille avec empressement et les installe à une table où se trouvent déjà l'acteur Jean Darcante et deux autres personnes. On vide une première bouteille de champagne et Georges se lève pour inviter Martine à danser. Elle n'a rien mangé depuis 11 heures du matin. Elle n'a absorbé que la tasse de café offerte par le concierge et deux coupes de champagne. Aussi se sent-elle les jambes molles. Mais le slow est une danse lente, les bras de Georges sont étroitement serrés autour d'elle et ça va encore. Toute la salle a les yeux fixés sur eux. Georges Marchal est célèbre et Martine, malgré sa fatigue et son malaise, reste miraculeusement belle. Soudain, en plein milieu de la piste, Georges s'arrête et repousse brutalement Martine.

— Seigneur ! pense Martine, qu'est-ce qu'il y a ? S'il me lâche, je m'effondre. Peut-être s'est-il piqué à une épingle restée dans la robe ?

Elle n'a pas le temps de se poser beaucoup de questions. Georges s'explique tout de suite, sans délicatesse excessive.

— Cette robe ne t'appartient pas ! Tu l'as empruntée à la dernière minute ? Mais comment se fait-il que tu ne possèdes même pas un vêtement à toi ! Comment vis-tu ? Comment oses-tu porter les toilettes d'une autre ?

Que s'est-il donc passé ? Simplement ceci : l'ensemble que porte Martine et qu'elle n'a pas eu le temps de faire nettoyer avant de le mettre dégage un parfum qui n'est pas le sien, un parfum que Georges reconnaît car il ajoute :

— Je peux même te dire à qui tu l'as empruntée, cette robe ! A Régine. J'ai dansé avec elle l'autre soir et j'ai reconnu son parfum.

Des points lumineux dansent devant les yeux de Martine. La voix de Georges lui parvient comme à travers une brume ouatée. Tout son être est tendu vers une seule idée : « Tiens bon, il ne faut pas t'évanouir. » Elle l'entend qui lui dit :

— Allez, on s'en va, je te ramène chez toi.

Elle se dirige vers le vestiaire avec la démarche d'un automate. Pendant le trajet, elle reste affalée contre la portière avant de la voiture, submergée par un désespoir sans larmes. Georges conduit, le regard fixé droit devant lui. Il n'a pas besoin de parler. Martine sait, intuitivement, que tout est fini. Quand il la laisse, en bas de son immeuble, elle ne lui demande même pas « Quand te reverrai-je ? » ou « Est-ce que tu me téléphones demain ? ». Elle est sûre qu'il lui répondra : « Je n'en sais rien », car le mot jamais, dans le métier qu'ils assument, lui déjà célèbre, elle à peine connue, n'existe pas. Dans l'ascenseur, Martine ressasse ce proverbe, stupide comme n'importe quel autre proverbe : « Il n'y a que les montagnes qui ne se rencontrent pas. »

Dans sa chambre, elle arrache d'elle la robe-prétexte qui a précipité la rupture. Elle fait ses comptes. Qu'a-t-elle gagné en faisant la connaissance de Georges ? Rien que quelques beaux jours d'été, de tendres heures pendant lesquelles elle a cru à un amour sincère. De son passage chez René Simon, de sa tournée avec Gaston Baty, un vers lui revient à l'esprit : « Comment en un plomb vil l'or pur s'est-il changé ? »

Elle est lasse de tout. Tous les soirs, sur scène, Charles Moulin la bat comme plâtre et, comble d'ironie, elle interprète une sourde et muette. Elle n'a même pas le droit de crier. Avec Georges aussi, elle a maintenant l'impression d'avoir joué un rôle de sourde et muette. Elle a accepté tous les coups sans avoir le droit de les rendre.

Dormir... Il faut qu'elle dorme. Demain, elle travaille. Elle prend un somnifère. Elle se couche. Elle est seule. Si seule. Tellement seule.

Le lendemain est un jour comme les autres. Elle reçoit des coups de téléphone, elle en donne d'autres, elle sort, va au théâtre, se laisse battre comme d'habitude et rentre chez elle. Mais elle ne se couche pas, elle n'a pas sommeil. Comme elle se sent triste et déprimée, elle espère se remettre d'aplomb en prenant un médicament alors fort à la mode dans les milieux du théâtre et du cinéma : la corydrane. Destiné au départ à lutter contre les rhumes et les refroidissements, la corydrane est en vente libre, encore qu'elle contienne des amphétamines, produits dont on sait qu'ils excitent et permettent un effort intense, mais bref, et tôt suivi d'une dépression. Elle absorbe coup sur coup plusieurs comprimés, boit un peu d'alcool et attend que la détente se produise. C'est évidemment le contraire qui a lieu. Martine, au fur et à mesure que les minutes s'écoulent, se sent de plus en plus nerveuse et surexcitée. Une agitation incontrôlable s'empare d'elle, une sorte de tremblement intérieur la secoue. En pantalon et en chandail, elle va et vient à grands pas dans sa chambre qui lui semble trop petite, dans son appartement selon elle trop restreint. Il lui faut immédiatement de l'air, beaucoup d'air, de l'espace, il est urgent qu'elle dépense cette force qui monte et menace d'exploser. Elle claque sur elle la porte de son appartement, dévale les escaliers sans prendre l'ascenseur. La voilà dans la rue. Elle court, elle divague, ses idées se dispersent, les mots se bousculent dans sa tête de façon incohérente. Elle ne sait plus ce qu'elle fait ni où elle va. Son angoisse demeure, à la fois sourde et lancinante. Un peu plus tard, elle se rappellera s'être frappé la tête contre les rideaux de fer des boutiques fermées. Elle avance en zigzaguant. Un taxi libre vient à passer, elle le hèle.

— Quelle adresse ? demande le chauffeur.

— Pas d'importance. Allez où vous voulez.

— Tout de même, insiste le chauffeur, dites-moi au moins dans quel quartier.

— Bon, emmenez-moi entre le pont de l'Alma et le Trocadéro.

Pourquoi ce trajet ? Parce que Georges habite tout près : rue Foucault à deux pas des berges de la Seine, Georges à qui, dans son délire qui s'aggrave, elle ne cesse de penser, Georges qui a été si cruel avec elle.

— S'il vous plaît, arrêtez-moi ici.

Le taxi stoppe. Martine enfonce sa main dans la poche de son pantalon, en tire un billet, le tend au chauffeur.

— Ça va, gardez tout.

Le chauffeur n'en revient pas et il y a de quoi. Ces mille francs (dix francs d'aujourd'hui) règlent le montant d'une course qui ne dépassait pas, à l'époque, cinq francs (anciens).

Mais il n'est pas au bout de ses émotions. Sa cliente, tandis qu'il range le billet de mille francs, a ouvert la portière à la volée. Hagarde, échevelée, elle descend en courant les escaliers qui conduisent sur les berges de la Seine.

— Hé ! crie l'homme, vous... là-bas... Ne faites pas l'idiote !

Abandonnant la voiture, il se précipite sur les traces de Martine et la rejoint alors qu'elle est penchée sur l'eau noire, prête à plonger. Et elle plonge. Heureusement, le chauffeur — un colosse — réussit à la tirer de l'eau avant qu'elle ait eu le temps de s'y enfoncer. Il la tire sur la berge. Martine est trempée mais elle n'est même pas évanouie. Son sauveteur la ceinture, la maintient solidement malgré les coups de poing et de pied qu'elle lui décoche en hurlant comme une forcenée. Le quai est désert. Il est très tard. Le chauffeur fourre de force son étrange cliente dans le taxi, repart à toute vitesse et dépose Martine au premier hôpital qu'il rencontre, au service des urgences.

C'est là qu'elle s'éveillera après que, faute de renseignements, on lui ait administré un sévère lavage d'estomac.

Dès le lendemain, le Tout-Paris et toute la presse sont au courant de la tentative de noyade de Martine. Les journalistes sont pendus à sa sonnette, le téléphone retentit sans arrêt. On demande, on exige des explications, des déclarations. On veut absolument la photographier les pieds dans l'eau (au moins jusqu'aux genoux). Pas besoin de redescendre jusqu'à la Seine pour ça ! Qu'elle se mette dans sa baignoire ou, si elle préfère, dans une bassine. On peut toujours truquer, n'est-ce pas ? Et c'est à cause de tout ce tintamarre inutile qu'on racontera que Martine avait convoqué tous les journaux pour assister à son faux suicide. Que ne ferait-on pas pour la publicité ? Une publicité inutile et de fort mauvais goût, estime-t-on sévèrement.

*
**

Sans nier que leur liaison ait été brutalement rompue, Georges Marchal, lui aussi harcelé par les journalistes, assure que Martine n'a pas voulu se donner la mort à cause de lui.

Sur le fond, il ne se trompe pas. Il sait — il l'a su dès leur rencontre — que Martine et lui ont deux natures diamétralement opposées. Lui est un homme qui perd rarement son sang-froid — sauf lorsque, au cabaret du *Drap d'Or*, par exemple, un photographe obstiné fait partir son flash à deux mètres de la table où il dîne avec Dany Robin. Il cache une sensibilité profonde, rarement extériorisée, (sauf sur la scène et à l'écran). Martine, au contraire, a une âme de pensionnaire. Elle cultive des parterres de fleurs bleues, elle se donne tout entière et croit tout ce qu'on lui dit, sans restriction. Sa vie entière, elle fera rimer amour avec toujours et cette sentimentalité excessive, enfantine, susceptible de dramatiser le moindre incident, le plus minime accrochage entre elle et ses partenaires successifs, causera finalement sa perte. Sans vouloir minimiser la sincérité de son attachement pour Georges Marchal, ni le chagrin qu'elle ressentit lors de leur rupture, on peut ainsi ramener sa spectaculaire noyade à de plus justes proportions. N'oublions pas non plus qu'elle était sous l'influence d'une drogue dont elle ignorait les effets réels et qu'on n'utilise plus guère aujourd'hui, sinon avec ordonnance médicale.

Publicité... Publicité...

Quoi qu'il en soit, personne ne songe à rechercher les causes profondes (les motivations, comme on dit aujourd'hui, quand on est un véritable intellectuel) qui ont poussé Martine à sa tentative de suicide. Personne ne va au-delà de cette question superficielle : qui est-elle, cette jolie fille qui a voulu mourir ? Non, on se contente de lui tirer un grand coup de chapeau pour avoir si bien attiré sur elle l'attention du public. Rien n'est plus faux. Martine est la première surprise, fort désagréablement, d'ailleurs, de toutes les histoires auxquelles ce qu'elle a fini par baptiser drôlement sa nuit fatale, donne lieu. A parler franc, elle a honte de son acte inconsidéré, d'autant plus que les récits qu'on en lit dans les journaux, s'ils font honneur à l'imagination de leurs auteurs, ne se rapprochent qu'à distance respectueuse de la vérité. Les uns rapportent qu'elle se drogue, qu'elle boit, de telle sorte que le mélange d'alcool et de drogue a fini par provoquer chez elle un délire de persécution permanent. Les autres disent que Georges Marchal a fini par se lasser de ses frasques et de ses caprices, qu'elle a convoqué, avant de se jeter à la Seine, photographes et opérateurs de cinéma. Enfin, une troisième version tend à s'accréditer : les corrections qu'elle reçoit tous les soirs de Charles Moulin, dans *la Route au tabac,* ont entraîné une sévère dépression nerveuse, peut-être un choc mental.

C'est grâce à cette dernière et curieuse interprétation des faits que le théâtre de la Renaissance s'emplit, chaque soir, de spectateurs avides de voir de plus près cette jeune actrice dont la renommée, il faut le reconnaître, n'a pas été encore beaucoup plus loin, c'est le cas de le dire, que les rives de la Seine. La pièce atteint la centième.

Il n'est pas nécessaire d'être grand clerc en la matière pour savoir que plus un acteur est connu, plus son nom se voit sur une affiche. C'est à la hauteur des lettres imprimées qu'on mesure son impact sur le public.

Profitant de ce battage, un circuit de distribution reprend le film *Miroir,* film dans lequel Jean Gabin a eu Martine pour partenaire et dont les affiches ont été, primitivement, ainsi conçues :

JEAN GABIN
dans
MIROIR
avec
Martine Carol.

Quand le film est de nouveau programmé, elles sont devenues :

MARTINE CAROL
dans
MIROIR
avec
Jean Gabin.

Martine espère, à chaque sonnerie de téléphone, que H.-G. Clouzot ou Marcel Carné est au bout du fil, ou que des amis l'appellent pour prendre de ses nouvelles. Pas du tout. Il s'agit toujours d'une agence de publicité qui souhaite signer avec elle un contrat pour qu'elle donne son nom à un soutien-gorge ou à une paire de bas, à un déshabillé, à un maillot de bain. Avec une photo d'elle, comme il se doit.

Pourtant l'exemple de la firme qui a relancé dans son circuit le film *Miroir* incite celles qui ont distribué d'autres films où Martine Carol a joué, à suivre l'exemple. Les périodiques illustrés reproduisent ses photos avec une légende. C'est toujours ça de gagné. Mais on ne lui consacre pas encore d'article, au moins d'article concernant sa carrière.

Toutefois, cette forme de matraquage, jointe à la curiosité qu'elle suscite, sert Martine. Paradoxalement, son faux suicide — plus exactement son suicide manqué — la fait avancer dans la voie difficile qui est désormais la sienne. Les gens s'habituent à voir son visage, à lire son nom. Lorsque, dans une salle, on redonne un film dans lequel elle a tourné, les gens murmurent : « Tiens ! Martine Carol... C'est la petite qui... etc. »

Elle a pris le départ. Il aurait mieux valu pour elle s'imposer d'un seul coup grâce à une œuvre de classe, mais la célébrité a ceci de commun avec la Providence que ses desseins sont impénétrables. Que ce soit pour une raison ou pour une autre, Martine n'est plus tout à fait un ectoplasme pour le public et il ne reste plus qu'à l'imposer en lui offrant un rôle à sa mesure, c'est-à-dire un bon. « Il faut battre le fer tandis qu'il est chaud », pense-t-elle avec bon sens et elle demande à ses agents publicitaires ou artistiques des conseils qu'ils lui refusent souvent, soit par indifférence, soit parce qu'ils ne croient pas à son avenir de comédienne. Elle sent que, quelle que soit la cause qui met un acteur au premier plan de l'actualité, il doit profiter du courant pour prouver qu'il n'est pas une nullité.

Martine, encore maladroite et naïve, risquerait de passer à côté d'une remarquable occasion si un fait nouveau ne venait à son secours.

Martine et Pierrot le Fou.

Un après-midi, au bord de la piscine de la ferme Saint-Jean, Martine m'a raconté sa fugitive aventure avec Pierrot le Fou.

« J'ai toujours été le jouet des hommes me dit-elle. Je n'en ai connu que de deux sortes. Les premiers, c'étaient les fauves. Ils ne pensaient qu'à une seule chose : tirer le maximum de plaisir que mon corps pouvait leur donner. Et puis, adieu Berthe ! Pour la seconde catégorie, je n'étais qu'un bibelot, un bel objet qu'ils avaient plaisir à exhiber.

« Quant aux fauves, comme ils ont bien su faire patte de velours, jusqu'à ce que je me livre pieds et poings.

« Alors, ils sortaient leurs griffes.

« J'ai le cœur plein de stigmates. J'ai même sur le corps des " souvenirs " de ces messieurs.

« J'étais, à l'époque une petite starlette un peu connue. Je fus invitée par mes amis, la chanteuse Colette Mars et le Commodore Drouilly, au *Baccara,* la boîte de nuit la plus célèbre du moment. Un homme fort séduisant s'est approché de notre table et m'a invité à danser. Oui, il était fort séduisant. Trop peut-être. J'aurais dû me méfier, mais je ne demandais qu'à être éblouie par ce bel homme élégant, à la voix douce, presque tendre, qui me proposait de poursuivre la soirée dans une autre boîte où jouait Django Reinhard.

« Dans les minutes qui suivirent, j'étais blottie au fond d'une puissante Cadillac noire. Le beau rêve commençait... Enfin, une fois de plus je le croyais !

« C'est alors que le fauve a sorti ses griffes.

« — Je suis Pierre Loutrel, oui Pierrot le Fou. Tu me plais. Tu auras tout ce qui te plaira. Je ferai, de toi, à ma façon, l'une des reines de Paris. Dès ce soir, tu seras ma maîtresse.

« A l'avant de la voiture, le chauffeur et un autre homme riaient. Ils ont sorti des revolvers et me les ont montrés.

« A tombeau ouvert, la voiture m'a emmenée dans la direction du bois de Boulogne. Pierrot le Fou voulait me violer. J'ai tellement hurlé qu'ils ont pris peur. On est reparti vers le bois de Vincennes. Là, pas une âme, le désert. Je pouvais crier, il s'en moquait éperdument. Il m'a jetée hors de la voiture. Il m'a arraché ma robe. Mais je me suis débattue avec une telle ardeur qu'il a de lui-même abandonné la lutte. En une seconde il a changé d'idée.

« — Marquez-la, a-t-il dit à ses complices.

« Et j'ai eu droit à un passage à tabac en règle, devant Pierrot le Fou, impassible, un sourire narquois aux coins des lèvres.

« Telle une loque, je me traînai chez ma mère qui

habitait Saint-Mandé. Le lendemain, j'ai reçu quatre entrecôtes glissées dans une gigantesque gerbe de roses pourpres. (Des entrecôtes, en cette période de fin de guerre, c'était un cadeau de roi !) »

De la part de Pierrot le Fou ! — Tout de même, il avait un brin d'élégance !

3

Le mariage ou la gloire ? Il faut choisir, Martine !

Au bar du *Fouquet's,* comme chacun sait, se réunit une étrange faune divisée en nettes catégories qui occupent topographiquement des points bien déterminés. Pour les starlettes, ce sont plutôt les hauts tabourets, devant le comptoir du bar. Pour les nantis, ou pour ceux que leur célébrité oblige à une certaine discrétion, c'est le restaurant.

Deux jolies filles sont perchées sur des tabourets : Martine Carol et Dora Doll, la première frêle et nerveuse, la seconde plus solide et apparemment plus calme.

Martine vient de se confier à Dora et conclut :

— Bref, comme tu vois, ça ne peut plus durer...

— Tout s'arrange, tu verras, répond Dora, philosophe.

Toutes deux ont le même problème à résoudre : intéresser suffisamment un réalisateur perspicace qui leur donnera un vrai rôle dans un vrai film. Elles ont hâte de montrer de quoi elles sont capables.

— Il y a sept ans que ça dure, j'en ai marre, marre, marre... clame Martine.

Elles tournent le dos à la salle où se croisent et se recroisent, en groupes mobiles, les grands noms du cinéma. Elles ne remarquent même pas les regards admiratifs posés sur elles. Ces hommes, dont dépend leur avenir, peuvent bien aller et venir, elles n'en ont rien à faire. Mais il est 13 heures et il y a foule. A une table, est assis un homme seul qui boit du whisky et ne quitte pas Martine des yeux. Le prétendant têtu.

— Hé, Martine, dit Dora, tu as fait une conquête.

— Et après ? répond Martine, qui touche le fond de la « déprime ».

Mais l'homme profite de ce que les deux futures vedettes se sont retournées pour se lever et s'avancer vers Martine. Il a le visage rouge, et l'air plutôt lourd. Il se présente simplement :

— Je m'appelle John Ringling North et je suis américain.

— Ah ?

— Je suis le propriétaire du Barnum Circus.

A cette déclaration, Martine écarquille les yeux, stupéfaite :

— Mais je ne veux pas faire de cirque ! s'écrie-t-elle, car, obsédée par l'attente d'un rôle, elle ne doute pas une seconde des intentions de ce M. Barnum-là.

Il répond, sévère :

— Il n'en est pas question. Je voudrais marier vous.

— Quoi ?

— Sérieusement, Mademoiselle, je voudrais marier vous. Je vaux cinq millions... Cinq millions de dollars.

Le fou rire qui plie en deux les deux jeunes femmes, fait se retourner toute la salle. Enfin, Martine reprend son souffle pour dire, avec une gouaille de petite Parigote :

— Bon. Laissez votre adresse, on vous écrira.

Déjà, elle a oublié sa crise de cafard ! Mais le prétendant n'en démord pas. Il est très sérieux et s'il n'est pas romantique d'allure, il l'est de cœur, et il va le prouver ! Un roman comique commence dont on aurait pu, à la limite, tirer un joli film.

Ringling reste une semaine à Paris et, chaque jour, Martine reçoit des fleurs ou un cadeau. Il la harcèle aussi de coups de téléphone. Jamais, dit-il, il n'a rencontré de femme aussi séduisante. Il n'est pas le seul à penser ainsi. Martine est relativement petite mais si bien faite, si bien proportionnée qu'elle en paraît grande : 1,60 m pour 51 kilos, 53 cm de tour de taille, 90 cm de tour de hanches, 95 cm de tour de poitrine. Et une peau, des seins à donner des tentations à un anachorète. Il y a aussi son visage pour attirer et retenir le regard, avec ses yeux verts, ses cheveux blonds et son petit nez si joliment rectifié. Elle offre l'image typique de la jolie Française gaie, spirituelle, insolente et d'une santé resplendissante. M. John Ringling emmènerait volontiers en Amérique cette merveilleuse fleur de France ! Et cela, certainement pas pour la montrer dans un cirque, mais pour la promener à son bras et l'aimer comme jamais jolie femme ne le fut !

Martine est quelque peu sidérée par cette insistance. John Ringling veut l'épouser, mais il ne lui plaît pas. Parfois, un éclair de prudence passe dans sa tête. Elle pense qu'il ne suffit pas qu'un homme vous plaise pour être heureuse avec lui. Ses amours avec Georges Marchal sont là pour le lui rappeler. Mais elle se demande aussi si elle aimerait vivre aux Etats-Unis, si la France ne lui manquerait pas trop. Et puis, malgré les difficultés qu'elle rencontre, elle n'a pas envie de tout abandonner. L'esprit de conquête l'anime toujours. Elle espère, envers et contre tout, que son nom sera un jour en haut de l'affiche et qu'il attirera la foule. « Ça, a dit un jour un comédien devant elle, c'est le caviar de l'artiste. »

Elle demeure donc inébranlable dans son refus. Elle résiste à l'obstination de Ringling. Finalement, lassé, John Ringling annonce qu'il repart pour l'Amérique. Son séjour en Europe se termine et il s'en va, portant « au cœur une blessure ouverte ». Martine, décidément, ne veut pas de lui.

A cette nouvelle, Martine pousse un grand soupir de soulagement. Puisqu'il quitte la France, elle ne connaîtra plus l'angoisse du choix. Demeurée seule à Paris, elle se consacrera tout entière à la poursuite de son but, sans plus jamais avoir besoin de se poser des questions auxquelles on répond après, généralement, par « Si j'avais su ! ».

Mais ce n'est pas ainsi que les choses se passent. De l'aéroport, avant de s'embarquer, John dédie à la jeune femme une ultime pensée sous forme d'un télégramme. En un millier de mots, il lui décrit la vie merveilleuse qu'elle aura si elle vient le rejoindre et redit quel amour, profond comme l'Océan, il lui voue. Elle est la seule, l'unique qui mérite d'être couverte de visons, de zibelines et de bijoux royaux.

Et, pendant deux mois, jour après jour, Martine reçoit un long câble qui se termine invariablement par une demande en mariage. Deux mois terribles, qui ne lui apportent rien professionnellement. Pas un bout de rôle, même pas un espoir. C'est le creux, le vide, l'enfer...

— Ah ! finit-elle par penser, les hommes sont empoisonnants. Se passer d'eux, refuser leur amour souvent encombrant, on ne le peut. De plus, ce sont rarement ceux qui vous aiment qu'on aime aussi !

Elle hésite, hésite, hésite... Que faire ?

A toutes fins utiles et parce qu'il a l'espoir chevillé au cœur, John Ringling lui a fait parvenir son passage sur le *Queen Mary*. Un matin qu'elle est en plein désarroi, Martine se décide. A Paris, elle ne connaît que des déboires. Avec John, aux Etats-Unis, elle n'aura plus à se soucier de son avenir. Au moins de son avenir matériel. Pourquoi ne pas se lancer dans une aventure qui ne sera, après tout, qu'une expérience de plus ?

L'aventure Barnum.

A l'arrivée du paquebot, John Ringling, qu'elle appelle Barnum, du nom de son célèbre cirque, lui a réservé un accueil digne d'une impératrice, c'est le moins qu'on puisse dire : une parade de majorettes, un défilé de clowns, un cortège de fauves en cage, un escadron de cow-boys, le tout couronné par un feu d'artifice géant.

Puis il la conduit au « Barnum », le train spécial qu'il a fait aménager pour lui et dans lequel il voyage habituellement. Pour Martine, un autre wagon, d'un luxe inouï, a été installé en hâte. La future vedette est éblouie. Elle remarque simplement : « Tout ça pour moi, qui ne suis même pas une star ! » Le reste du cirque s'installe dans les compartiments qui font suite. Il y en a pour le personnel, les artistes, les accessoires, les bureaux. Des fourgons climatisés accueillent les animaux et les fauves, ainsi que leurs gardiens.

Avec l'instabilité qui lui est propre, Martine ne va pas tarder à regretter la décision qu'elle a prise. Très vite, elle estime que son wagon spécial a les allures d'une prison, que ses domestiques noirs sont des gardes-chiourmes et que son fiancé a des façons de geôlier. Il se montre, en plus, d'une jalousie excessive :

« Il m'a giflée un soir parce que j'avais dansé avec Henry Fonda », racontera-t-elle plus tard à des journalistes. « Un autre soir, confiera-t-elle encore, il a menacé de me battre avec ses chaussures. » Evidemment, de tels procédés l'indignent, alors que ces disputes, ces querelles puériles ne méritent même pas qu'une femme sensée s'y attarde. Mais, toute sa vie, Martine restera une petite fille et partant, réagira comme une gamine.

A bord de ce train spécial, elle visite les Etats-Unis, les sillonne de long en large ; il n'est pas une voie secondaire qu'elle ignore : « Je connais par cœur la carte ferroviaire de ce vaste pays. »

Mais l'inquiétude la ronge, fermente en elle. Elle a trop de temps pour penser à elle et le résultat de cette introspection n'est pas brillant : « Que suis-je venue faire ici ? Quel est mon avenir ? Je suis vouée à ne voir que mon futur mari et à n'entendre parler que de cirque. Qu'aurai-je en contrepartie ? »

John Ringling est un homme qui sait exactement ce qu'il veut et il a fait établir un contrat de mariage (les fiançailles, en effet, se prolongent) où il exprime clairement son plan d'avenir. Il cède à Martine Carol la majeure partie de ses actions pétrolifères. Il l'intéresse aux recettes de son cirque, « the best in the world ». Mais, en revanche, Martine sera obligée de séjourner dans la propriété que son mari possède à Saratoga... Une propriété immense, d'accord, mais dont elle n'aura pas le droit de franchir les limites. Sa seule distraction sera de monter à cheval, un sport pour lequel elle n'a qu'une attirance médiocre.

Après avoir accepté les conditions de John et annoncé leur mariage à grand fracas, Martine a fait retarder par deux fois la date de leur union. Selon les divers récits que l'on retrouve sous la plume de Martine elle-même, ou sous celle de différents journalistes, ce serait un acteur de Hollywood qui l'aurait découragée d'accepter ce mariage, en la mettant au courant des malheurs de la précédente épouse de Ringling. Selon une autre version, alors qu'elle dormait, une nuit, dans son wagon-palais-prison, le mal du pays se serait abattu sur elle sous forme d'un affreux cauchemar dont elle était sortie pantelante et brisée. Elle s'était vue enfermée dans une cage, exhibée de ville en ville, subissant la curiosité des visiteurs pour ensuite, sur la piste, exécuter des exercices périlleux sous le fouet d'un dompteur qui ressemblait comme un frère à son futur époux. Rêve prémonitoire... Si vous avez vu *Lola Montès,* l'un des meilleurs films de Martine (avec *Nana*), le rapprochement est automatique.

A la vérité, elle ne sait plus à quel saint se vouer, lorsque l'un de ces bienheureux, touché par sa misère morale, lui tend une main secourable. Martine, un matin, reçoit un télégramme du metteur en scène André Cayatte. Il lui demande de revenir à Paris, il a un rôle pour elle.

Rien, dès lors, ne peut retenir Martine si ce n'est la méfiance de son fiancé qui redouble de surveillance. Une nuit, néanmoins, elle parvient à s'échapper et comme il lui faut profiter de l'occasion qui lui est offerte de gagner le large, elle ne prend même pas le temps de faire une valise. Elle jette sur ses épaules un somptueux vison et au revoir, M. Ringling !

***

A Paris, sur les Champs-Elysées, Martine Carol fait sensation avec ses cheveux blond-rose, ses souliers dorés et son vison somptueux (« Tout le monde me regardait et il y avait de quoi : on était en plein mois d'août »). La chance, enfin, est au rendez-vous. André Cayatte lui donne le rôle de Juliette dans son film *les Amants de Vérone* », qu'elle tourne avec Anouk Aimée, Serge Reggiani, Pierre Brasseur, Louis Salou et Philippe Lemaire. C'est un succès... Enfin, presque. C'est, en tout cas, un film qui ne passe pas inaperçu.

Son « exil » aux Etats-Unis a, malgré son enfantillage foncier, un peu mûri Martine. Ses ambitions ont eu le temps de se décanter, et comme elle aime son métier, elle sait travailler un rôle. De plus, elle est ravissante. Avec son demi-sourire qui lui retrousse légèrement la lèvre supérieure, laissant voir l'éclat des dents blanches, elle crée une mode.

— Parce qu'un jour où j'étais enrhumée on m'a photographiée la bouche à demi ouverte, toutes les filles, à présent, font prendre l'air à leurs dents, déclare-t-elle.

Aux Etats-Unis, John Ringling n'a pas désarmé. Ses affaires le retiennent sur les routes et autoroutes de son pays mais, à Vérone où l'état-major du film s'est transporté au grand complet, il a engagé (toujours par télégramme) un orchestre. Tous les soirs, mandolinistes et chanteurs viennent donner la sérénade sous les fenêtres de Martine. Ce ne serait pas désagréable si le fiancé lointain n'avait donné des instructions précises aux musiciens : ils doivent jouer faux. C'est un ordre. Martine n'apprécie pas ce genre d'humour, et ne cache pas aux musiciens ce qu'elle pense d'eux et de « M. Barnum ». Il n'en faut pas davantage pour que l'orchestre transgresse les instructions de l'abandonné et se remette à jouer juste.

Il arrive, fatalement, ce qui doit arriver. John a maintenant un ennemi de taille ; un défenseur ardent de Martine, qui lui reconnaît volontiers son droit au libre choix, lui fait une cour ardente. Le cœur de Martine, une fois encore, se met à chanter. Le nouvel élu se nomme Steve Crane. Oui, encore un Américain ! Et elle accepte de l'épouser. Sans la moindre hésitation. Autour d'elle, dans les milieux professionnels, on hausse les épaules, on trouve qu'elle exagère. Comment ! Grâce aux *Amants de Vérone,* elle tient enfin la chance entre ses mains, tous ses espoirs sont en passe d'être réalisés et, au lieu de s'accrocher, cette folle se marie !

Du coup, John Ringling lâche ses fauves, ses acrobates et ses avaleurs de feu. Il fonce en Europe, gagne Monte-Carlo où Martine est installée. Mais il ne se montre pas. Dans le hall de l'hôtel de Paris, il l'attend, derrière un rideau de plantes vertes. Le portier le remarque. Cet homme qui semble guetter quelqu'un l'inquiète. Il s'approche et, courtoisement, s'informe :

— Veuillez m'excuser, Monsieur, mais puis-je savoir qui vous attendez ?

— Mademoiselle Martine Carol.

Un sourire mi-incrédule, mi-moqueur, paraît sur les lèvres du portier :

— Monsieur, je crains que cela ne soit pas possible, elle se marie aujourd'hui.

A son tour, John Ringling sourit :

— Justement, répond-il sans se démonter. Je veux la voir pour être sûr qu'elle est vraiment heureuse. En ce cas, je ne me permettrai même pas de l'aborder, ni même de me montrer. Sinon...

Sinon... Rien. Martine a l'air radieux. Très fair-play, John Ringling ne se manifeste pas. Il repart pour les Etats-Unis et laisse Steve Crane, son compatriote — moins riche mais plus décoratif que lui — épouser celle qui est la femme de sa vie.

Car Martine a bien été, pour « M. Barnum », la femme de sa vie. La preuve de cet amour incurable ? La voici :

En 1963, Martine est libre. Elle n'a pas trouvé le bonheur avec Steve Crane. Ni avec qui que ce soit. Et bien que quinze ans se soient écoulés, John Ringling est à nouveau à Paris. Martine, à l'époque, habite au rond-point des Champs-Elysées l'Elysée Park Hotel. Il lui demande un rendez-vous et, comme autrefois, se fait précéder par un buisson de roses rouges.

— Chassons nos mauvais souvenirs, lui dit-il. A cause de toi, jamais je ne me suis remarié. Alors, épouse-moi. Je te rendrai heureuse, je te le jure. J'ai compris, lorsque tu m'as quitté, que tu étais encore trop jeune pour te passer d'un seul coup de tout ce qui avait été ta vie. Mais à présent, cette vie — pas toujours facile — que tu as menée, a dû te mettre du plomb dans la tête... Je crois que nous pourrions trouver notre chance ensemble.

Au lieu de rassurer Martine, ce discours l'épouvante. Les bijoux, les fourrures, le luxe effréné qu'elle a connu avec Ringling, c'est très joli. Mais elle n'a pas oublié les scènes, le wagon spécial, les serviteurs noirs qui épiaient ses moindres mouvements, l'ambiance du cirque, qu'elle n'a jamais aimée. Alors, le soir même de la visite de John, elle plie bagages et, sans prévenir qui que ce soit, va se cacher à l'Alpe d'Huez. Elle ne donne son adresse qu'à quelques rares amis, en précisant que le chalet où elle se réfugie ne possède pas le téléphone.

Un play-boy nommé Steve Crane.

Ayant rompu, plutôt brutalement, ses fiançailles avec John Ringling, Martine est donc revenue à Paris, plutôt désabusée sur le plan du mariage. Mais la solitude sentimentale n'est pas le fait d'une fille aussi courtisée qu'elle, qui fréquente, tant par goût que par profession, un monde varié où les idylles se font et se défont comme écharpes de brume au gré du vent.

A l'hôtel, elle finit par remarquer un jeune homme, très beau, qui, chaque fois qu'elle traverse le hall, se trouve sur son passage, comme par hasard. Elle ignore qui il est mais elle ne peut faire un pas sans le rencontrer. Malgré tout intriguée, elle se renseigne auprès de Bill Marshall — le futur époux de Micheline Presle puis de Michèle Morgan — lui-même installé dans ce même hôtel. Oui, Bill Marshall connaît ce garçon qui brûle, d'ailleurs, de faire la connaissance de Martine. Qui est-ce ? Un certain Steve Crane.

Martine ne tient pas tellement à ce que cet admirateur lui soit présenté. Mais, le lendemain, sa chambre est littéralement transformée en jardin. Epinglées au papier cristal qui enveloppe gerbes, bouquets et plantes en pots, des cartes de visite portant toutes le même nom : Steve Crane. Martine prend juste la peine de le remercier, sans plus.

Un mois plus tard, Bill Marshall, qui regagne l'Amérique le lendemain, invite Martine à une soirée d'adieux où Micheline Presle est elle-même conviée. Ainsi que Steve Crane, naturellement. Cette fois, les présentations sont inévitables.

C'est le coup de foudre. Six mois plus tard, ils se marient. Mariage civil, puis mariage religieux. Ils ont décidé de faire bénir leur union à Magagnoscq, près de Grasse, et de la garder secrète. La cérémonie sera célébrée dans l'intimité, il n'y aura que les parents de Martine et les témoins. Mais il n'est pas de secret gardé lorsqu'on appartient au monde du spectacle, ou si l'on a plus ou moins défrayé la chronique. Une fuite s'est produite et lorsque les futurs époux pénètrent dans l'église, ils la trouvent envahie par les photographes et les reporters. Martine, furieuse, lutte contre la crise de nerfs.

Steve prend la situation en main. Il se dirige vers le gros de la troupe, déclare que le père de Martine est en mauvaise santé, qu'il supporte mal l'agitation et il prie « ces messieurs de s'éloigner et de laisser la cérémonie se dérouler dans le calme, comme il se doit ». Mais, les journalistes, que l'on a poussés à l'extérieur pour fermer le portail de l'église — contrairement aux usages —, s'agitent, s'excitent et se livrent à mille excentricités. Avec un madrier dont ils se servent comme d'un bélier pour forcer le portail, ils perturbent l'office. Ils tentent aussi de crever les pneus de la voiture des jeunes mariés, font un bruit infernal.

A la sortie de l'église éclate un début de bagarre parce que Steve essaie de protéger Martine des photographes qui la tirent par le bras. Exaspéré, Steve se retourne et d'un direct du droit, admirablement placé, assomme aux trois quarts un photographe qui vient de le gifler. Steve et Martine réussissent quand même à atteindre leur voiture et s'échappent...

Le mariage de Martine et de Steve est loin d'être une réussite. En effet, Steve a tous ses biens aux Etats-Unis et Martine travaille à Paris. Ils sont donc obligés de se séparer très vite et Steve n'arrête plus de faire des allées et venues au-dessus de l'Atlantique. Il demande à Martine de le suivre définitivement en Amérique, ce qui implique, pour la jeune femme, l'abandon de sa carrière. Elle refuse, on s'en doute, d'y renoncer. Elle préfère divorcer. Et c'est ce qui arrive en 1953. Cette année-là, le 18 avril, Martine entame une procédure de divorce.

Il préférait jouer aux cartes et me laisser seule.

Dans les divers récits de sa vie qu'elle a donnés successivement à la presse, Martine n'a jamais reconnu que le souci de sa carrière l'ait, seul, séparé de Steve Crane. Sans doute ne s'en est-elle pas rendu compte elle-même. Ce qu'elle a toujours vu de très près, ce n'est pas la ligne générale de son existence mais seulement les détails du quotidien. Or, si Steve Crane était beau, riche, élégant (et peut-être fidèle), elle eut tout de suite, en revanche, le sentiment d'être exhibée comme un « oiseau rare », comme un luxe que son mari avait été à même de s'offrir. On dirait aujourd'hui que Martine ne voulait pas être une « femme-objet ».

Il faut reconnaître, à la lumière des témoignages, que les attentions dont Steve entourait Martine quand ils étaient en public cessaient dès qu'ils se retrouvaient seuls. Lorsqu'ils n'étaient pas en représentation mondaine, il lui montrait une indifférence pénible.

Pendant leur lune de miel, à Cannes, ils séjournaient au Carlton. C'était Noël et ils avaient décidé d'aller réveillonner quand ils rencontrèrent un autre couple : Liz Taylor et celui qu'elle venait d'épouser, Conrad Hilton, le directeur de la chaîne d'hôtels qui portent son nom.

Ce hasard ravit les deux jeunes femmes. Elles arboraient de somptueuses toilettes et elles étaient aussi belles l'une que l'autre, l'une brune, l'autre blonde, la première avec des yeux violets, la seconde avec des yeux verts. Loin de se porter ombrage, elles se mettaient, au contraire, réciproquement en valeur, ce qui est essentiel pour que deux jeunes femmes gardent leur sérénité quand elles sortent ensemble.

Mais, soudain, Conrad Hilton et Steve Crane, aussi joueurs l'un que l'autre, décidèrent d'aller risquer leur chance au baccara. Ils abandonnèrent leurs femmes, perchées sur de hauts tabourets de bar en leur disant, rassurants : « On revient tout de suite, attendez-nous. »

A 3 heures du matin, Liz et Martine, qui avaient réveillonné d'un sandwich, histoire de « tenir le coup », se tenaient, à demi somnolentes, sur leurs tabourets, et les serveurs, les barmen souriaient en les regardant.

Enfin, les deux joueurs revinrent. Ils parurent surpris de retrouver leurs épouses à l'endroit où ils les avaient laissées.

— Oh ! Vous êtes toujours là... Eh bien !

— J'espère que maintenant nous allons souper, dit Martine.

— Pas question, répondit Steve en éclatant de rire, Conrad et moi, nous sommes raides comme des passe-lacets.

Et dès lors, pour Martine, commença une interminable série de mornes soirées de solitude... Cette solitude qu'elle ne put supporter de toute sa vie.

Puis, il y eut autre chose. Quelque chose d'aussi grave, sinon plus, que la passion du jeu qui habitait Steve.

Ayant accompagné son mari aux Etats-Unis où ses affaire le rappelaient, Martine fit la connaissance de Cheryl, la fille que Steve avait eue avec Lana Turner, une superbe actrice blonde qui eut son heure de gloire aux beaux temps de Hollywood. Cheryl, qui se partageait entre son père et sa mère, était alors installée à Beverley Hills, le quartier des vedettes de Los Angeles, dans la confortable demeure de son père. C'était une jeune personne fort agressive, hargneuse, mal élevée. Elle voua aussitôt à Martine une tenace inimitié alors que la vedette, à cause de cette mentalité de midinette qui formait le fond de sa nature, espérait jouer, à cette occasion, les belles-mères au cœur tendre.

Un jour, la charmante Cheryl lança à Martine, devant Steve :

— Vous, je vous déteste. Vous êtes comme toutes les Françaises, stupide et vulgaire. Et vous n'êtes qu'une pauvre copie de maman.

Martine, suffoquée, regarda Steve. Il avait l'air atrocement gêné. En un éclair, elle comprit que Cheryl, avec l'intuitive cruauté des enfants, venait de dire la vérité. Steve n'était tombé amoureux d'elle que parce qu'*elle ressemblait à sa première femme,* qui l'avait quitté pour un autre. Elle l'interrogea des yeux, les lèvres tremblantes. Il baissa la tête, se tut et sortit de la pièce où Martine resta seule avec Cheryl qui continuait à la défier du regard.

Avec le temps, la fêlure ne fit que s'accentuer. Pratiquement, les deux époux se voyaient à peine. Steve travaillait à ses bureaux dans la journée, passait la plus grande partie de ses nuits au cercle — un cercle où les femmes n'étaient pas admises. Martine se distrayait comme elle pouvait, allant au cinéma, se livrant à des achats nombreux, à moins qu'elle ne restât des heures entières devant le poste de télévision.

Le réalisateur John Carroll, après lui avoir fait tourner quelques essais, l'ayant trouvé sensationnelle dans une séquence où elle jouait un rôle de cow-girl, lui proposa un contrat pour sept ans, à condition qu'elle parlât l'anglais convenablement. On ne comprenait pas, en effet, un mot de ce qu'elle disait à l'écran. Seulement, il fallait que Martine consacrât au moins quatre heures par jour à l'anglais pour obtenir un résultat possible. Du coup, elle préféra renoncer au contrat et ce refus occasionna d'interminables disputes entre elle et son mari.

Finalement, d'un commun accord (et avec quel soulagement !), ils décidèrent de divorcer. La séparation prononcée, Martine eut l'enfantine curiosité de compter le nombre de jours que Steve et elle étaient restés mariés. Le total s'élevait à 1 295 jours.

Qui était, au juste, Martine Carol ?

Elle a déclaré, un jour :

— J'ai tourné des films merveilleux, j'ai gagné des fortunes. Le monde entier m'a applaudie, les hommes ont été fous d'amour pour moi. Je voyageais, j'ai eu des visons, des bijoux, tout ce qu'une femme peut, enfin, désirer.

Ça, c'est la façade. Mais la réalité se révélait toute autre lorsque Martine, dans une crise de sincérité ou de découragement, tentait d'établir sa vérité fondamentale.

— La vérité, la voici : j'ai travaillé dur, j'ai été malheureuse en amour et en ménage, on m'a volé mon argent, j'ai voulu mourir à plusieurs reprises. Je me suis droguée, j'ai bu et, bien souvent, j'ai eu le sentiment d'avoir raté ma vie.

Elle passait ainsi aux aveux et c'était dans les derniers temps de son existence, alors qu'elle venait d'épouser son quatrième (et dernier) mari, Mike Eland, dont elle disait qu'il lui avait redonné son équilibre.

— Quand on a su que je buvais, tout le monde m'a jeté la pierre. C'est laid, bien sûr, une femme ivre mais personne ne s'est demandé pourquoi moi, Martine Carol, j'en étais arrivée là.

Il est vrai que la foule refuse d'être réaliste quand il s'agit de ses idoles. Les vedettes n'ont pas (ou si peu !) de vie privée. Aux yeux du public, ce sont des êtres invulnérables, à jamaix beaux et souriants. Ils ne mangent ni ne dorment, se portent comme des charmes et si, par hasard, on entend parler à leur propos d'une maladie, d'une opération, d'un séjour en clinique, l'homme de la rue ne les plaint pas : « Bah ! pense-t-il, avec l'argent qu'elle (ou il) a, il s'en tirera de toutes façons mieux que moi. »

Un autre drame a profondément marqué Martine Carol : la perte d'un bébé alors qu'elle compte à peine vingt-cinq ans. A l'époque, elle vit avec Steve Crane qui, bien que la sachant enceinte, tarde à lui demander de l'épouser. La grossesse de Martine est pénible, très difficile et le médecin lui a recommandé de rester allongée autant que possible et, surtout, de ne pas se livrer à des sports violents.

Nous sommes en mai 1949. Le 27 mai doit avoir lieu le « mariage du siècle » : celui de l'actrice Rita Hayworth avec le prince Ali Khan. Qu'on se rappelle les manchettes des journaux à cette mémorable occasion. Sur huit colonnes, *France-Soir* titre : « Rita Hayworth a dit oui. » La mobilisation générale serait à nouveau décrétée qu'elle ne ferait pas davantage sensation que ce « oui » sacramentel et si peu durable.

La cérémonie a lieu sur la Côte où Ali Khan a son domaine, tout à côté, d'ailleurs, de la propriété — *le Roc* — où sont installés Steve Crane et Martine Carol. Mais Rita Hayworth a préféré ne pas inviter son voisin. Comme on disait autrefois, elle a eu — prétendent certains — des bontés pour Steve et elle craint (on se demande vraiment pourquoi) que cette rencontre, pour officielle qu'elle soit, entraîne quelque gêne de part et d'autre.

Cet « oubli » ne fait pas l'affaire de Martine qui adore les mariages, les baptêmes, les premières communions et autres cérémonies d'attendrissement facile.

Alors, elle a une idée. De la mer, on peut voir le parc et la villa du prince. Alors, que Steve conduise le chris-craft un peu au large. Elle, perchée sur ses skis nautiques, pourra voir ce qui se passe chez Ali Khan.

Avec un soupir excédé car l'idée ne lui plaît guère, Steve s'éxécute. Martine, sur ses skis, parvient à la hauteur du port privé du prince. Elle regarde de tous ses yeux, négligeant toute manœuvre. Une vague à laquelle elle n'a prêté aucune attention la déséquilibre. Avec un cri perçant, elle tombe à la mer et se reçoit malheureusement sur le ventre. Hurlante de douleur, elle est transportée d'urgence à la clinique où elle fait une fausse couche. Une fois remise, elle apprend alors qu'elle doit abandonner tout espoir d'être à jamais mère. Sur l'instant, elle ne réalise pas les répercussions que ce verdict aura sur son avenir. « Ce n'est que vers trente-cinq ans, dira-t-elle par la suite, que j'ai compris qu'une femme sans enfant n'est pas tout à fait une femme. »

Cette impossibilité d'avoir un enfant semble avoir beaucoup troublé l'actrice. Il est possible que le choc non décelé au début ait aiguisé peu à peu son excessive sensibilité. De ce pénible événement, elle parlait peu, même des années après : « Le milieu artistique ne se prête pas aux confidences de ce genre. A de rares exceptions, l'amitié est superficielle. On s'y surveille, on s'y épie, on s'embrasse à grands renforts de mon chéri ou mon amour mais on ne s'y confie rien de grave. »

Et comme elle s'enferme dans une solitude relative, certains bruits se mettent à courir avec insistance sur elle. Elle n'ignore pas qu'on murmure derrière son dos qu'elle devient fantasque, bizarre... qu'elle change d'humeur d'une minute à l'autre. Elle ne fait rien pour démentir ces rumeurs. « La nuit, je pleurais et je n'avais même pas un mari pour me consoler. »

Elle est alors atteinte d'une obsession que bien des femmes privées d'enfant connaissent. « Dans la rue, il m'arrivait de suivre une femme qui poussait son bébé dans sa petite voiture. Comme je l'enviais ! »

Elle regardait l'enfant d'un œil tellement avide que la mère, instinctivement avertie d'un intérêt qu'elle jugeait suspect — sauf si elle reconnaissait l'actrice — s'éloignait très vite. « Alors, je me dépêchais de traverser la rue et je me jetais au fond d'un taxi pour y pleurer tout mon soûl. »

Mais une carrière de vedette, surtout à l'époque où elle brille de tous ses feux, suit une voie le plus souvent tracée par son impresario ou son agent de publicité. Le droit de choisir est contesté à l'artiste. La rébellion, les organisateurs n'en ont cure. Une star doit être vue. Elle est faite pour être regardée, admirée, enviée. Elle se doit de paraître dans des manifestations qui donneront matière à des échos où leur nom sera cité.

— Le soir, je présidais des galas. J'étais belle mais, parfois, j'avais dû me mettre des glaçons sur mes paupières parce qu'avant de m'habiller, j'avais pleuré comme une Madeleine. Le maquillage sauvait tout.

Ce déséquilibre, cette fatigue sans cesse renouvelés,

consécutifs à un métier qui exige des nerfs d'acier et une santé physique et morale à toute épreuve, ne manqua pas de s'accentuer avec le temps. Evidemment, la non-maternité de Martine ne serait pas suffisante pour expliquer la suite de son comportement, mais elle en marque le commencement. A l'époque, un voile se déchire devant ses yeux. Elle comprend qu'il ne suffit pas de vouloir pour réussir, qu'il ne suffit même pas d'avoir du talent, qu'il ne suffit pas de tenir physiquement le coup, d'être belle et pleine de charme. Pour mener une véritable vie d'artiste, il ne faut vivre que pour le métier. Celle ou celui qui n'obéit pas à cette règle d'or est immédiatement sanctionné par une baisse de popularité ou un déséquilibre affectif, mental et physiologique.

« Lorsqu'une femme meurt — dit-elle un jour au journaliste Philippe de Font-Réaulx — elle a des enfants qui la pleurent. Eh bien, moi, cela n'aura aucune importance car je n'ai pas d'enfant. »

Et le talent ?

Peu de critiques ont cru au talent de Martine Carol. Pour eux, son succès était dû, à 80 %, à l'exceptionnelle beauté de son visage et à la perfection de sa plastique. Cette opinion, généralement admise dans les milieux spécialisés, l'indignait.

« J'ai joué, déclarait-elle dans une interview, un nombre extraordinaire de rôles, dont certains en tenue d'Eve. Mais, sans pousser aussi loin la pudeur de Lollobrigida, qui tourne en maillot chair si le scénario l'exige, j'ai toujours veillé à ce que ce nudisme obligatoire ne soit ni provocant ni impudique. »

Quoi qu'il en fût, Martine Carol ne pensait pas être dépourvue de dons artistiques et elle l'a dit, en toute simplicité, alors qu'elle venait de tourner *Lucrèce Borgia*. Elle avoue, par la même occasion, que les personnages d'époque ne lui plaisent guère. Elle confie, à ce propos :

« J'ai souffert sous les pesants atours de Lucrèce. Quelle fatigue ! Et quel personnage épuisant ! Je ne sais pas si j'accepterai encore des rôles historiques, ce qui ne signifie pas que je renonce au cinéma " en costumes ", par orgueil d'abord, pour prouver ensuite que, dans n'importe quel rôle, je suis capable de me montrer une comédienne. Je suis de la race des Marylin, des Signoret, des Lollobrigida. »

Cette profession de foi ne correspond pas aux appréciations qui ont paru sur la pauvre Martine au temps où les films qu'on lui proposait ne valaient certainement pas grand-chose mais les années, en s'écoulant, n'ont rien arrangé. Pour s'en convaincre, il suffit de lire cet article signé Jacques Ghisloli, paru en juillet 1978 dans *France-Soir,* après la diffusion, à la télévision, de *Caroline chérie :*

« ... une sombre et sordide histoire, peut-être trop bien jouée par de merveilleux comédiens aujourd'hui disparus comme Paul Bernard, Jacques Varennes, Raymond Souplex...

« Heureusement, il y a Martine Carol. Je dis bien : heureusement. Elle ne m'a semblé à aucun moment ridicule. Elle est belle et le plus souvent, elle se tait, les réalisateurs ayant eu là l'habileté de lui substituer un récitant. »

Le jugement de Jacques Ghisloli est sévère. Pourtant, c'est *Caroline Chérie,* dans lequel Martine dévoile un sein parfait (le droit, pour être précis) qui la mettra au premier rang des vedettes. On lit dans *France-Soir,* sous la signature de Jean-Luc Drouin, cet article qui tend à rendre justice à Martine. Il est intitulé : « Une poupée sexy. »

« 1950 : Martine Carol a trente ans et se rend plus célèbre par ses qualités physiques et ses originalités que par son talent d'actrice. »

« Mais voilà : le producteur français François Chavanne, qui avait décidé de porter à l'écran le roman de Cecil Saint-Laurent *Caroline Chérie* a besoin d'une ravissante poupée sexy. Martine Carol est choisie par les journalistes. Grâce à son éclatante interprétation, elle prend une place prépondérante dans le désert des jeunes vedettes françaises et succède à Michèle Morgan et Danielle Darrieux. »

Sous la plume de notre confrère Jean-Luc Drouin, trouverons-nous les éléments d'information qui vont nous permettre d'avoir une opinion ? Avec ce qui nous semble un bon sens certain, il écrit ceci :

« Seize films pour faire revivre Martine Carol, c'est beaucoup... elle en a tourné si peu de bons... etc. »

Puis :

« Il eût suffi de trois films : L'un de ses débuts : *Nous irons à Paris* (1949) ou *Méfiez-vous des blondes* (1950) ; l'un de son apogée : *Caroline Chérie* (la même année que *Méfiez-vous des blondes !*) ou *Lucrèce Borgia* (1952) et le plus grand — le seul grand *Lola Montès* (1955) dans lequel Max Ophüls, prenant Martine Carol au sommet de sa fragile carrière de femme-objet, lui fait jouer son propre rôle à travers celui d'une autre femme-objet : la courtisane Lola Montès. »

Cette expression « carrière de femme-objet » n'eût pas plu à Martine mais comme elle aurait aimé la suite de l'article :

« Toute l'histoire de Martine Carol est inscrite là, dans ce film génial et prophétique où elle peut enfin donner libre cours à un réel talent de comédienne. »

Evidemment, la femme-objet, la « pin-up », la poupée « sexy » ne peut se satisfaire de cette sorte de compliment, surtout quand son auteur écrit plus loin :

« Martine Carol va avoir quarante ans ; elle se débat comme elle peut. Elle prouve dans *Nathalie* des dons comiques certains : mais la mode n'est pas à la comédie. »

La seule qualité que la critique sera unanime à lui reconnaître est d'incarner « le rêve secret de tous les hommes ». C'est une beauté qui ne prend pas de distance.

Elle peut paraître familière, elle peut être — idéalisée — celle que vous admirez chez votre voisine de palier. Cette beauté, c'est son handicap : on la regarde, on ne l'écoute pas. Alors, comme on lui demande d'être belle d'abord, et de séduire, elle remplira chaque fois son contrat. « La comédienne n'intéresse pas et la star ne touche plus. »

La critique ne saura jamais parler d'elle avec beaucoup de sérieux ; ainsi, lisons-nous dans un compte rendu de *Nana* :

« Dans ce métier de courtisane, où elle nous révèle de nouveaux aspects de son talent, mais où elle se montre avare de ses charmes secrets, Martine n'offre que sa gorge, mais elle voile sa voix. »

Il semble donc que la critique serait tentée de supposer que Martine Carol n'a jamais eu d'autre talent que son beau physique. Et aussi sa gentillesse. Quand on raconte le tour du monde qu'elle fit pour la propagande du cinéma français, on ne manque jamais de souligner sa grâce, sa simplicité et sa modestie.

« La gentillesse, la simplicité et la bonne humeur de notre Martine ont d'ailleurs stupéfié tous les gens qui l'ont reçue et qui s'attendaient à ce qu'une star aussi célèbre affectât des airs supérieurs. »

Moi-même, j'ai été surpris par cette même gentillesse. Pendant longtemps, j'ai habité un petit hôtel de la rue de Saussure, dans le 17e arrondissement. Le couple de gérants qui s'en occupaient étaient des gens charmants qui admiraient inconditionnellement Martine, et s'émerveillaient aussi de la longueur et de la fréquence des coups de téléphone qu'elle me donnait. Je le dis à Martine, alors en pleine gloire mais qui, nullement blasée sur les marques de sympathie qu'elle suscitait, s'en montra ravie.

Un soir que nous devions dîner ensemble, elle vint me chercher à l'hôtel, descendit de sa Rolls, entra dans le bureau où se tenaient les gérants et se présenta à eux tout simplement : « Georges Debot m'a dit que cela vous plairait de me connaître, alors, me voici. » Quelques minutes plus tard, la gérante m'appelait dans ma chambre, tout émue, pour me prévenir que « Madame Martine Carol » m'attendait. Elle m'attendait, en effet, mais non pas dans sa voiture, comme d'habitude. Elle était assise dans le bureau, une tasse de café posée sur un guéridon, à portée de sa main.

Par la suite, chaque fois qu'elle me téléphona, jamais une seule fois elle ne manqua de prendre des nouvelles des gérants, si bien que, à la fin, de véritables conversations s'engageaient entre eux, encore plus longues que celles que nous avions ensemble, Martine et moi.

A chacun de ses voyages en Grande-Bretagne, Martine me rapportait des pulls en Cachemire. Ces pulls, je ne les portais jamais et, un jour, elle s'en étonna. Je lui avouai franchement pourquoi : je ne supporte pas la chaleur, sous quelque forme que ce soit et ses merveilleux cachemires, dès que j'en revêtais un, me donnait l'impression, quelques moments après, d'être plongé dans une marmite norvégienne. Je lui avouai aussi que, plutôt que de les laisser entassés dans un tiroir, j'offrais ces chandails à mes amis. Nullement froissée, elle me dit alors :

— Je continuerai quand même à te rapporter des cachemires. Ainsi, mon plaisir sera double : j'aurai d'abord la joie de te faire un cadeau, ensuite celle de savoir que tu fais un heureux grâce à moi.

Il faut donc inscrire sur la liste des qualités de Martine celle que beaucoup de spécialistes lui refusaient : la classe. Elle s'est montrée « une vraie dame qui a fait honneur à son pays dans le monde entier ».

4

Caroline Chérie, enfin...

La carrière éclatante et brève de Martine Carol est suffisamment entrée dans la légende pour qu'à chaque fait important de sa vie correspondent plusieurs récits, différant en plusieurs points et dont aucun des auteurs ne voudra démordre, tant la presse s'est empressée de parler d'elle. Le film qui l'a définitivement lancée fut donc ce *Caroline Chérie,* tiré du roman du même titre de *Cecil Saint-Laurent,* auteur peu connu du grand public et que ce « best-seller » a rendu célèbre en très peu de temps, autant que son interprète.

Ecrivez donc un best-seller.

Depuis longtemps, un éditeur nommé Charles Frémanger ne dormait plus à la pensée qu'il existait des livres surnommés « best-sellers », (ceux que les lecteurs s'arrachent) et qu'il n'en avait point encore publié. Pourtant, se disait-il, ce serait un moyen sûr de gagner beaucoup d'argent. Comme on peut le penser, la vie d'un éditeur n'est pas toujours beaucoup plus rose que celle d'un auteur. Il engage des frais, il ne sait jamais s'il récupérera les capitaux investis. Aussi Charles Frémanger souhaitait-il trouver, parmi les jeunes auteurs, un esprit capable de créer un personnage aussi romanesque et aussi populaire que « Scarlett », « Ambre » ou « Rebecca ». La littérature française ne possédait pas ce genre d'article. L'éditeur qui le trouverait ferait fortune.

Cherchant qui pourrait satisfaire cette ambition, M. Frémanger pensa à un jeune homme appelé Jacques Laurent qui, pour vingt mille francs (légers) par mois écrivait de petits romans roses et quelques « polards (1) ».

— Tu n'arriveras à rien avec ce travail d'esclave, lui dit-il un jour ; si tu veux sortir de l'anonymat, il faut que tu écrives au moins un « best-seller ».

— C'est vite dit, c'est moins vite fait. Est-ce que tu me l'éditeras ?

— Certainement, c'est justement ce que je cherche.

Jacques Laurent, fils d'un avocat à la Cour, avait fait une licence de lettres, ce qui constituait une base solide pour un écrivain, plus son service militaire en Algérie, ce qui lui avait donné un minimum d'expérience de la vie. Bravement, il releva le défi et entra à la Bibliothèque nationale comme on entre en loge pour un prix de Rome. Il chercha une époque, il chercha une période de l'Histoire qui se prêtât à toutes sortes d'événements rapides et divers, autant que possible avec de l'angoisse, du drame et de la détente. La période révolutionnaire et post-révolutionnaire lui plut. Il y avait eu là un défilé de formes diverses de gouvernements, coupé de périodes plus ou moins policières et de « terreurs » qui présentaient un décor déjà attirant pour y développer une aventure.

En sept cent cinquante heures, (cette précision pour les amateurs de statistiques), il rassembla 25 kilos de documentation et présenta à Frémanger un ouvrage qui lui avait

(1). "La nuit ne veut pas finir" fut publié aux Éd. France Empire.

demandé près de neuf cents heures de rédaction. C'était une œuvre dans la ligne de celle d'Alexandre Dumas. Elle s'inspirait des « best-sellers » cités en exemple. Elle suivait l'Histoire, les coutumes, les styles, les habitudes, du temps, comprenait des épisodes libertins et piquants, frôlant l'érotisme, mais demeurant dans une légèreté de touche capables de déclencher le succès.

Et il le déclencha. D'abord prudemment tiré à deux mille exemplaires, le roman atteignit son centième mille en un temps record. L'étranger s'en mêla et, très rapidement, *Caroline Chérie* fut traduit en douze langues dont le japonais.

Une jolie fille sous la Terreur.

Le cadre historique choisi est l'époque révolutionnaire appelée la Terreur. L'héroïne est une très jeune aristocrate, donc une fille exposée à tous les malheurs possibles. Son père, député de la noblesse aux Etats généraux doit s'exiler tandis que son mari, député de la Convention, se voit accusé de modération par les extrémistes du Comité révolutionnaire qui le poursuivent. Caroline est également recherchée et s'enfuit à travers la France. Comme elle est menacée de l'échafaud, on se doute qu'elle est prête à tous les sacrifices pour rester en vie. Jolie et pleine de vitalité, elle doit piétiner ses principes et, tout en restant moralement fidèle à son mari, elle se voit forcée de le tromper souvent et dans des circonstances suffisamment imprévues et variées pour soutenir l'intérêt de l'œuvre.

La popularité du livre fut telle que la publicité s'empara du nom de Caroline et que tout ce qui apparaissait fantaisiste, imprévu, féminin, charmant, jeune, fut baptisé de ce prénom jusqu'alors peu à la mode. Les bas et les corsages « Caroline » firent fureur et on savoura les chocolats fourrés aux cerises sous le nom de « Caroline cherry ».

Mais pendant un certain temps, en France, on se demanda, aussi bien dans la presse que dans le public, qui était l'auteur de ce livre qui pulvérisait les records de vente. Il s'obstinait à rester dans l'ombre.

On finit quand même par savoir que le pseudonyme de Cecil Saint-Laurent déguisait le patronyme de Jacques Laurent. A vrai dire, Jacques Laurent utilisait une liste de pseudonymes variés, « par esprit méthodique et loyauté », expliqua-t-il un jour en ajoutant que contrairement à ce que pouvaient supposer certains critiques, l'usage des pseudonymes n'est pas le signe d'un trouble de la personnalité. En fait, Jacques Laurent change de nom quand il change de genre car il considère, à cette époque, que sa littérature est plus un métier qu'un art. Il devient Albert Varenne quand il s'agit d'un feuilleton historique au romantisme échevelé, avec amours contrariées, croix de ma mère, filles irrésistibles et galants prompts à tirer l'épée. Il signe Roland Charnaise, Laurent Labattu, Alain Nazelle, Alain de Sudy ou Marc Saint-Palais des romans policiers et au bas de ses critiques dramatiques, on lit le nom de Jean Paquin. Il importe toutefois de souligner que c'est sous le nom de Jacques Laurent qu'il a obtenu ces dernières années le prix Goncourt, avec *les Bêtises*.

En qualité de Cecil Saint-Laurent, il commence à mener une vie exempte de soucis financiers mais qui ne manque cependant pas d'animation car elle est entrecoupée d'entretiens difficiles avec les éditeurs étrangers, de réunions avec les critiques et les cinéastes. Immédiatement, en effet, les magnats du cinéma ont pressenti le « boum » que ferait l'aventure de Caroline une fois portée à l'écran. A une condition : que l'on découvrît la comédienne capable d'incarner l'héroïne.

Vers 1950, le miracle a lieu... Un miracle total, si l'on ose écrire ainsi, car non seulement les producteurs voient, enfin, se préciser leur espoir de gagner énormément d'argent en découvrant l'actrice de leurs rêves mais Martine voit aussi se lever son aube d'Austerlitz.

L'histoire se rapportant au choix de l'actrice qui incarnerait Caroline comporte plusieurs versions. L'une d'elles, crédible, assure que ce furent les bailleurs de fonds eux-mêmes qui pensèrent à cette délicieuse jeune comédienne au nez retroussé et qui ne craignait pas trop de se montrer en tenue légère devant les caméras. Comment se nommait-elle, déjà ? Ah ! oui... Martine Carol !

Les producteurs réunirent ensuite les journalistes et sollicitèrent leur avis. Un référendum, en quelque sorte. Martine fut élue à une écrasante majorité pour le rôle. Cecil Saint-Laurent se chargea de lui porter en personne son ouvrage et il fut accueilli, paraît-il, avec une surprise sans égale. L'exemplaire portait cette dédicace : « A Caroline Chérie, en chair et en os. » Jean Anouilh écrivit les dialogues et Marie-Ange, une costumière formée à l'école de Christian Bérard, dessina les robes de Caroline.

Deux autres versions des mêmes faits.

La vérité a toujours plusieurs visages, qu'il s'agisse de la grande ou la petite histoire. Et, dans l'histoire du cinéma, l'accession de Martine au vedettariat par l'intermédiaire de *Caroline Chérie* a deux autres versions possibles. L'une d'elles est présentée par Cecil Saint-Laurent lui-même :

« A l'âge de trente ans », écrit-il, Martine Carol ne pouvait pas se douter qu'elle deviendrait une vedette.

Affirmation purement gratuite que rien ne prouve et que, au contraire, tout dément. A côté de ses déboires scéniques et sentimentaux et ses orgies de corydrane, Martine a l'ambition chevillée au corps et ce n'est que lorsque la déprime la travaille qu'elle ne croit plus en son étoile.

Cecil Saint-Laurent, poursuivant son raisonnement, ajoute :

« Au théâtre, elle n'avait obtenu que l'emploi d'une muette. »

Et il conclut :

« Elle ne pouvait imaginer le coup de baguette magique qui ferait d'elle la comédienne la plus en vogue de Paris. »

« Elle a raconté... que nous avions été présentés chez *Maxim's,* par un diplomate sud-américain. »

Il précise encore :

« En fait, c'est au bar du *Samedi-Soir,* un hebdomadaire " très parisien " de cette époque, qu'un jeune journaliste, Richard Balducci, me suggéra de pousser Martine Carol vers le rôle. »

L'autre version met encore en scène Cecil Saint-Laurent et, naturellement, Martine. Elle est alors l'épouse « comblée » de Steve Crane mais son bonheur a la fragilité de tout ce qui est, de près ou de loin, à la merci du hasard. Que sa carrière devienne brillante et son mariage sera détruit. C'est presque toujours la rançon de la célébrité. Martine aime son mari mais son métier commence à l'aimer et à le lui prouver.

Par l'intermédiaire de Cecil Saint-Laurent, la rencontre avec le commencement de la popularité, avec l'événement qui va faire « tilt » se déroule dans le hall de l'hôtel George V. C'est là qu'habite Martine. Elle n'a pas trouvé d'appartement à son goût et Steve s'est incliné devant sa volonté, comme il se doit. Elle pense, d'ailleurs, aller s'installer avec son époux aux Etats-Unis et, cette fois, de façon définitive. Ce projet, qui ressemble à une renonciation, se réaliserait de point en point si un jeune homme ne s'approchait d'elle, alors qu'elle se tient dans le hall de l'hôtel. Le jeune homme serre entre ses mains un livre aussi gros qu'un dictionnaire.

— C'est pour vous, dit-il en tendant le livre à Martine.

— Que voulez-vous que j'en fasse ? demande-t-elle avec simplicité.

— Que vous le lisiez, parce que je l'ai écrit en pensant à vous.

Martine ne peut s'empêcher de sourire. Le jeune homme prend congé. Elle regarde le livre, jette un coup d'œil sur la couverture et lit le titre : *Caroline Chérie.* Son sourire s'accentue. Ce titre l'enchante autant qu'une déclaration d'amour. Bien qu'on ait douté qu'elle ait jamais lu l'œuvre de Cecil Saint-Laurent, cette médisance est difficile à admettre d'abord parce que Martine lisait scrupuleusement tout ce qu'on lui recommandait de lire, y compris les scénarios qu'on lui faisait parvenir, ensuite parce qu'elle a très fidèlement incarné l'héroïne telle que l'a conçue l'auteur.

Un caprice de Caroline Chérie.

Cecil Saint-Laurent note que, en France, vers les années 50, on n'avait pas encore pris l'habitude de fabriquer des vedettes. Si certains acteurs et certaines actrices obtenaient du succès, cette gloire ne pouvait se comparer à celle qui entourait les comédiens dans les pays anglo-saxons, et surtout aux Etats-Unis. Mais, déjà, l'Europe commençait à pratiquer le « star-system ».

Dans l'hebdomadaire *V.S.D.*, il conte sa surprise quand, à Bruxelles, il vit dans un grand magasin, qui avait demandé à Martine une séance de signatures, la foule bousculer le service d'ordre, se jeter sur elle et tendre les mains pour la toucher, effleurer son manteau, comme si elle avait été une sainte prête à l'accomplissement de sensationnels miracles. « J'étais ahuri, commente Saint-Laurent, mais Martine aussi. » Elle a toujours été saisie d'un étonnement incrédule face à ce genre de manifestations, dues à sa popularité.

Qu'elle eût du talent ou non, elle suscitait l'affectueuse familiarité de l'homme de la rue.

On pouvait croire, en cette époque de paix à peine retrouvée, que le succès de *Caroline Chérie* était dû au fait que le film apportait une saine détente au public, délivré des angoisses de la guerre. C'était une façon d'exorciser la peur qui avait habité les peuples envahis, contraints de vivre, des années durant, dans un climat de terreur sourd et permanent.

« L'histoire de cette jeune femme constante et fidèle, tendre et joyeuse, sensuelle par nature et aventureuse et même aventurière par la nécessité où la guerre et la révolution la mettent de défendre sa liberté et sa vie par tous les moyens », comme l'a écrit Saint-Laurent, s'appliquait parfaitement aux tensions et aux ruses de l'époque de l'occupation et l'on était heureux d'y avoir survécu pour pouvoir maintenant s'en distraire et en rire.

Et l'auteur n'hésite pas à ajouter, sans crainte de se ridiculiser, que Martine, dans le rôle de Caroline, a concrétisé la réaction d'espérance d'une Europe qui, un moment, a entrevu sa propre disparition et la privation définitive de toute liberté.

Martine, de son côté, a du mal à assimiler sa jeune gloire. Elle reste la même, ce qui est charmant, mais son nouveau personnage l'embarrasse quelque peu, ce qui est émouvant. Autant elle reste rieuse quand elle lit une critique favorable, autant elle apparaît abattue et angoissée dès qu'on formule la moindre critique sur son talent. Elle en fait une affaire d'Etat et comme on la comprend ! Sa célébrité si soudaine est d'une étonnante fragilité. Avec bon sens et logique, elle sait bien que tous les propos tenus à son égard sont pour la plupart sans grand fondement, qu'ils viennent du cœur plus que du raisonnement et c'est pourquoi les réserves la chagrinent.

« Un écho moqueur, une réserve sous la plume d'un critique, dit encore Cecil Saint-Laurent dans V.S.D., suffisaient à la bouleverser. » Elle téléphonait aussitôt à ses amis dans l'espoir d'être rassurée : « Qu'est-ce que tu en penses ? C'est une catastrophe ? »

Quel qu'ait été son succès, quelle qu'ait été sa gloire, quels qu'aient été ses amis, plus nombreux, plus fidèles, plus admiratifs qu'elle-même le croyait, Martine Carol manquait de sécurité.

« Elle attendait la catastrophe, dit encore Cecil Saint-Laurent. Celle-ci se produisit finalement sous les traits de Brigitte Bardot qui, alors que Martine vieillissait, incarna à son tour la féminité et trouva, elle, l'audience mondiale. Le rire brutal de Brigitte, son regard buté suffirent pour démolir les coquetteries de soubrette de Martine. »

En 1951, Cecil Saint-Laurent et Martine Carol se manifestent souvent ensemble en public. Cette année-là, on voit l'auteur et « sa » vedette en train de remettre à François Mauriac le livre qui a fait suite à *Caroline Chérie* : *Le Fils de Caroline Chérie*. Cet exemplaire, le romancier a prié Martine de le dédicacer elle-même à Mauriac.

Dans *le Fils de Caroline Chérie,* Brigitte Bardot joue un petit rôle. Martine, en accord avec Cecil Saint-Laurent, en a décidé ainsi. Déjà, celle qui n'est pas encore devenue B.B., gloire nationale, a paru dans trois ou quatre productions sans pour autant ameuter les foules. Mais elle est sympathique à Martine qui a toujours déclaré : « Je suis pour Brigitte et j'ai toujours été pour elle. La jalousie, la mesquinerie, j'ignore ce que c'est. »

« Elle voyagea, poursuit Cecil Saint-Laurent, elle courut d'île en île, d'homme en homme. Sa gaieté était devenue fébrile. Quelques mois avant sa mort, elle me proposa d'écrire pour elle un scénario qui aurait pour sujet la déchéance d'une vedette.

« Elle espérait refaire surface en offrant son déclin en pâture aux spectateurs. »

Avec *Caroline Chérie* et pour la première fois dans un film non réservé à de très discrètes salles quasi privées, on voit une très jolie femme dépourvue de tout voile. « Voir » est beaucoup dire car, lorsqu'elle est nue, Martine n'est représentée qu'en ombre chinoise. Dans la scène où elle est dans la baignoire, impossible pour le spectateur de se rendre compte si elle est nue ou non, car elle s'enfonce pudiquement dans un nuage de mousse.

Dans le film, Jacques Dacqmine interprète le rôle de Gaston de Sallanches, l'amant de Caroline. Il se souvient avec plaisir et attendrissement de la Martine Carol de cette époque.

« Elle était connue, mais pas encore vraiment célèbre, dit-il. Toujours nette, ravissante et consciencieuse presque à l'excès. Elle avait vraiment " potassé " son rôle. Bien qu'elle ne fût pas encore obsédée par son idée fixe : " Je ne suis aimée que comme un objet ", idée qui devait la désagréger plus tard, elle se fourvoyait déjà dans des histoires impossibles. Quand nous avons tourné *Caroline Chérie,* elle avait pour chevalier servant provisoire un personnage qui ne quittait pas le studio tant qu'elle s'y trouvait. Il se cachait dans un coin du décor et surveillait jalousement notre jeu, additionnant les prises de vues pendant lesquelles Martine passait de bras en bras, chronométrant les séquences de baisers. Il devait bouillir, le malheureux, durant les répétitions et les innombrables reprises. Mais moi aussi, je bouillais. Imaginez un instant l'exaspération qu'un acteur éprouve quand le scénario l'oblige à embrasser, dix, vingt fois de suite une partenaire dont il n'est même pas amoureux, sous le regard d'un Othello prêt à lui sauter à la gorge. Mais on pardonnait tout à Martine. »

Une histoire de milliardaire.

Rien de romanesque ne manque à la vie de Martine Carol, qu'on baptise « Martine chérie » après son film. Même pas un caprice de milliardaire. Elle a une étrange aventure avec un non moins étrange individu qu'on appelle Howard Hugues, et qui est — entre autres multiples occupations — le directeur de la R.K.O.

Le célèbre et archi-milliardaire américain (décédé depuis) se distingue par un comportement que son entourage s'efforce de supporter. Il se distingue déjà, en tout cas, par une bizarrerie qui laisse prévoir le début de ses troubles mentaux.

De toutes façons, quand on apprend, dans les milieux du spectacle, que Howard Hugues prie (convoque plutôt) Martine aux U.S.A., chacun s'extasie sur sa chance. Elle même, de son propre aveu, se juge « vernie ». Etre distinguée par Howard Hugues signifie une consécration totale et définitive dans une carrière où le succès passe vite.

Les circonstances dans lesquelles M. Howard Hugues apprend l'existence de Martine (qui attend qu'on lui offre un rôle important depuis qu'elle a tourné *Caroline Chérie*) méritent d'être contées. Chaque matin, le milliardaire se rend ponctuellement, à heure fixe, en un endroit discret où il s'attarde longuement. Pour charmer les loisirs de l'attente, il a, à portée de main, des piles de périodiques, pour la plupart abondamment illustrés, traitant de questions financières mais aussi de théâtre et de cinéma. C'est ainsi qu'un matin du 30 octobre 1951, M. Hugues, aviateur, producteur, « inventeur » de Jean Harlow, de Katharine Hepburn, d'Ava Gardner et de bien d'autres actrices, tombe sur le compte rendu de *Caroline Chérie*. Quelques photos suggestives de Martine l'agrémentent et il en éprouve un légitime émoi.

A peine sorti de son refuge, il sonne le branlebas de combat. Il ordonne à ses secrétaires, directeurs et sous-directeurs de téléphoner, de télégraphier, de faire quelque chose, enfin, pour dénicher cette beauté dont il ignore l'adresse et dont il veut faire une grande vedette aux Etats-Unis. Il faut qu'elle vienne en Amérique toute affaire cessante.

Martine ne songe pas à refuser, d'autant moins qu'aux télégrammes qu'elle a reçus est joint un billet d'avion. Elle se voit déjà star internationale et elle téléphone à Steve Crane, du Georges V où elle habite, pour qu'il lui retienne un appartement dans le plus grand hôtel de Los Angeles. Elle ajoute : « Viens me chercher à l'aéroport. »

Elle débarque de l'avion à Los Angeles. Steve n'est pas là. Il inaugure sa nouvelle boîte de nuit, le *Macamo*. Pas question de lâcher ses invités pour venir chercher sa femme.

Mais, à la sortie de l'aéroport, trois « gorilles » aux épaules impressionnantes encadrent Martine. L'un d'eux, le feutre vissé sur la tête, s'approche d'elle :

— Vous êtes bien miss Carol ?

— Oui.

— Bon, alors, suivez-nous, nous avons ordre de vous conduire chez M. Hugues.

Martine a beau protester qu'il lui faut téléphoner à son mari, elle est embarquée dans une Cadillac longue comme un paquebot. Ses gardes du corps lui assurent que rien ne l'empêchera de téléphoner de la villa que M. Hugues a fait préparer pour elle. L'auto roule pendant un certain temps, stoppe devant une somptueuse résidence. Martine est invitée à pénétrer à l'intérieur, conduite à un appartement où elle retrouve ses bagages. Jusqu'ici, tout va bien et elle est ravie. Tout, autour d'elle, est d'un goût raffiné, d'un luxe de bon aloi. Ses gorilles ont disparu discrètement en lui promettant qu'ils vont revenir la chercher pour la mener dans les appartements de M. Hugues. Elle se déshabille, prend un bain, se rhabille, se maquille avec soin. Et elle attend. Interminablement. Personne ne se montre. Elle décide de sortir. La porte est fermée à clef. Elle secoue frénétiquement la poignée qui ne cède pas. Elle s'inquiète, frappe à cette porte, d'abord discrètement, puis à coups de poing. Alors, elle avise, sur un guéridon, le téléphone. Elle décroche, porte le combiné à son oreille. Le téléphone est sourd et muet, il n'y a pas de tonalité.

Elle est à la fois ivre de colère et d'anxiété lorsque la porte s'ouvre enfin. Les trois gorilles sont là, accompagnés d'un homme en blouse blanche. Un médecin ou un infirmier ? Tous quatre s'approchent silencieusement de Martine. Tandis que les hommes de main de M. Hugues la maintiennent, le médecin sort de sa trousse une seringue et lui dit paisiblement :

— Après un voyage aussi long, vous avez besoin d'une bonne nuit de sommeil. M. Hugues a l'intention de vous faire tourner des séquences d'essai dès demain. Il veut que vous ayez le visage reposé. Avec ça, soyez tranquille, vous dormirez bien.

Martine dort, en effet, près de quatorze heures. Mais quand elle s'éveille, elle est plus fatiguée que si elle avait abattu des kilomètres. Jamais, de sa vie, elle n'a fait autant de cauchemars. Un coiffeur apporte des perruques, une habilleuse de somptueuses toilettes, un maquilleur la farde. Elle est alors conduite sous bonne escorte aux studios, mais pas de M. Hugues à l'horizon !

Pendant quinze jours, le même scénario se répète. Tous les matins, à l'aube, après avoir été dûment coiffée, habillée, fardée, on la mène dans les locaux de la R.K.O. où les bouts d'essai se multiplient.

Un soir, enfin, un des secrétaires du milliardaire lui apprend que son directeur souhaite dîner avec elle. Elle exige alors qu'on la mette immédiatement en liberté et comme il ne semble pas en être question, elle se barricade en poussant devant sa porte tous les meubles de sa chambre.

La fin de l'histoire ? On ne la connaît pas exactement, si ce n'est que, un mois après son départ en fanfare, Martine effectue un retour moins triomphal.

5

Est-ce la roche Tarpéienne ?

Quand on pense à ces acteurs, ces actrices qui « durent » si longtemps que leurs adieux « n'en finissent plus de finir », on reste stupéfait devant la brièveté de la carrière de Martine Carol. Commencée tôt, mais réellement démarrée tard, elle a été brillante mais plutôt météorique : non pas une étoile, mais une comète.

La carrière de Martine peut se diviser en deux périodes : « Avant *Caroline Chérie* et après *Caroline Chérie.* »

Avant, elle a beaucoup de difficultés à se faire accepter autrement que sous forme d'une délicieuse image pour calendrier. Elle illustre éloquemment la définition de la pin-up, cette fille qu'on épingle au mur en effigie et que l'on contemple les jours moroses pour se faire rêver. *Après,* elle peut prétendre « interpréter » des rôles, on l'accepte plus facilement. Cependant, Martine Carol, c'est autre chose qu'une jolie figure au-dessus d'un joli corps. René Simon n'a-t-il pas évoqué ses possibilités : « Martine s'est trompée de voie. Elle est victime de son physique. Elle est émouvante, sincère, simple. C'est une véritable actrice dramatique. Elle a beaucoup plus de talent qu'on ne croit : c'est une méconnue. »

Les films tournés « avant Caroline Chérie ».

On doit reconnaître que ses premiers films n'ont pas été éblouissants et que, parfois, le rôle qu'elle y tenait était plutôt de la « figuration intelligente » (expression qui ne veut pas du tout dire que l'autre sorte de figuration est réservée aux débiles, mais que l'acteur fait un petit quelque chose de plus que des gestes ou de la simple présence). La figuration intelligente implique parfois que l'acteur parle. Il prononce une phrase ou deux, sort une seconde de la foule, s'efforce de se faire remarquer par le metteur en scène, est jalousé par ceux qui restent dans le commun, et souvent la séquence sur laquelle il comptait pour que les rêves devinssent réalité est coupée au montage ! Ce n'est là qu'une insignifiante cause de découragement parmi tant d'autres que doivent surmonter ceux qui espèrent réussir dans le show-bizz.

Le *Voyage surprise* fut mis en scène par Pierre Prévert. Martine s'y trouvait en compagnie de Sinoël, Max Revol, Etienne Decroux, le célèbre nain Piéral, Orbal et Marcel Péres. Puis, dans la même catégorie, ce fut *Carré de Valets,* d'André Berthomieu, où elle apprécia de jouer avec des acteurs de classe tels que Jean Desailly, Yves Deniaud, Pierre Larquey, et Bernard Lajarrige. On se souvient peut-être de ces films honnêtement traités, gentiment et vivement mis en scène, qui permettaient au bon public de passer une soirée divertissante.

En 1948, Martine tourne *Les souvenirs ne sont pas à vendre,* film qui lui permet de jouer un peu dans la neige, en brave petite fille qu'elle est restée. Elle est en compagnie de Frank Villard et de Maurice Baquet, pour ce tournage dirigé par Robert Hennion.

La même année, c'est-à-dire 1948, elle tourne *les Amants de Vérone,* sous la direction d'André Cayatte, en Italie.

Elle a abandonné, en plein milieu des Etats-Unis, Rinling, ses otaries savantes et son wagon spécial. C'est ensuite *Je n'aime que toi* où elle a pour partenaire Luis Mariano. Elle y interprète le rôle de la jeune femme d'un chanteur célèbre, personnage conventionnel mais tout désigné pour meubler les rêves des midinettes. En 1949, on l'engage pour *Une nuit de noces* de René Jayet.

Nous irons à Paris, avec Ray Ventura et ses Collégiens, dirigé par Jean Boyer, date de cette période. Il a été tourné en 1950 et Martine y incarne la petite jeune fille jolie et superficielle dont, malgré elle, elle restera toujours l'image et qui trouva une place si chaude et si tendre dans le cœur de son public. *Méfiez-vous des blondes* suit de près, toujours en 1950. C'est un film d'André Hunebelle, où Martine travaille avec Raymond Rouleau.

Et là se termine la première période de Martine Carol : celle de la starlette qui se cherche. Entraînée par son physique, Martine cherche à se créer une personnalité en apparence superficielle, coquette, excitante, d'héroïne aux poses érotiques, aux nus suggestifs. Car, si elle a été pressentie pour *Caroline Chérie,* c'est avant tout à cause de son corps parfait et de sa jolie figure.

Comment devenir une « Caroline Chérie » ?

Un tel rôle ne s'improvise pas. On peut penser ce qu'on voudra de la valeur artistique des interprétations de Martine Carol. Le fait est qu'elle y mettait tout son zèle et toute son application.

Cette petite fille ambitieuse apprit très vite qu'il fallait choisir pour réussir et ce choix comportait quelques sacrifices, ce qui est le propre de tout choix, par principe. Ce qu'on élimine est parfois confortable, aimable et doux. Ce que l'on décide de garder est trop souvent dur, douloureux, fatigant et décevant. Mais la nécessité du choix est permanente. Vivre c'est choisir, dit-on souvent.

Une existence calme, confortable, des nuits de dix heures, des matins radieux dans les bras d'un mari présent et attentif, peut-être des enfants dont les gazouillements emplissent de bruits tendres les aubes pures... les directives à la nurse, à la bonne, ou plus simplement le métier de mère de famille, accompli dans le calme et la sécurité, c'était pour la jeune Maryse Mourer un choix possible. Ses parents l'auraient vivement souhaité. Des repas de famille eussent réunis les dimanches les deux sœurs, Maryse et son aînée Evelyne, leurs maris, leurs enfants et les Mourer, car tous les parents sont les mêmes : ils veulent garder leurs enfants près d'eux.

Martine fit l'autre choix, celui qui devait lui apporter la célébrité, la richesse, l'adulation des foules, les beaux voyages, les bijoux de grand prix, les fourrures et surtout les applaudissements. Pour les mériter, ces applaudissements, il n'est aucun sacrifice que l'on ne consente.

Inspirée par l'ambition, par le goût de l'effort que l'on acquiert avant même de savoir quelle sera l'étendue de cet effort, le perfectionnisme poussé à l'extrême, avec une méthode qui fera sourire les autres comédiens, qui la traiteront de « petite bourgeoise qui arrive au studio en taxi », la tentation de réussir l'impossible et le désir de relever les défis, tous les défis, voilà ce qui a guidé Martine Carol à l'époque où elle eut à faire son choix. Et tout de suite, vexations, leçons et difficultés ont commencé.

Les cheveux, d'abord : le châtain qui eût si joliment complété les yeux verts de cette jolie fille n'était pas une couleur assez lumineuse pour un cinéma en noir et blanc. Autant opter tout de suite pour le blond le plus brillant qui attire et retient les moindres rayons. Sauf de rares exceptions, imposées par le rôle, Martine conservera toute sa vie cette couleur très blonde.

Le visage, ensuite : le nez aquilin de Mlle Mourer ne

convient pas à l'écran. Toutes les candidates à la carrière de jeune première de cinéma commencent par faire rectifier leur nez. Combien en ai-je vu de ces starlettes, ou même « candidates-starlettes » qui économisent sur leur nourriture pour s'offrir un « nez nouveau » ? Le célèbre chirurgien à la mode cette année-là à « raboté deux bosses et colmaté un vide », a écrit Régine Dabert, et Maryse Mourer, une fois le pansement au plâtre enlevé, a fait connaissance, surprise et ravie, avec une jeune personne qu'elle n'avait jamais vue et qui la regarde là, devant elle, dans le miroir.

Le corps ensuite : On n'entretient pas facilement une silhouette parfaite. Même avec des mesures admirables, on grossit très vite. Il faut non seulement garder la taille fine mais aussi de jolis seins, ce qui ne s'obtient, selon des confidences faites par Martine elle-même, qu'avec des mouvements de gymnastique exécutés consciencieusement chaque jour avec des haltères d'une livre dans chaque main. C'est aussi par ces mouvements qu'on entretient de beaux bras.

Puis, il faut corriger les défauts de la voix. Pour faire, ne fût-ce qu'un premier pas dans le théâtre, il est essentiel d'avoir une voix « placée ». Martine a eu quelques efforts à accomplir pour corriger la sienne. René Simon avait dit un jour à son propos : « Diction à travailler avec acharnement. Placer sa voix. » Et ce fut efficace :

— Quand je m'entends parler, disait Martine, j'ai envie de me répondre avec la politesse distante et courtoise que l'on réserve à une personne que l'on ne connaît pas très bien. Comment serais-je familière avec cette personne dont je ne reconnais pas la voix ?

La conquête de sa voix est la plus difficile et la plus longue. Dans *Caroline Chérie,* elle n'est pas encore placée. En revanche, on la trouve belle dans *Nathalie.*

Enfin, pour chaque film, on exige des performances différentes : parler anglais pour tourner en Angleterre et en Amérique ; monter à cheval ; faire de l'escrime ; avoir la souplesse d'un judoka et la force d'un athlète alliées à la grâce d'une jolie fille : c'est tout simple, n'est-ce pas ?

Après « Caroline Chérie ».

Un pareil succès ne reste pas sans lendemain. D'ailleurs, Martine, même avant de savoir si le film serait vraiment un succès, devait continuer de travailler sans s'arrêter, puisqu'elle sentait que sa carrière prenait forme. Aussi tourne-t-elle en 1951 *le Désir et l'amour* d'Henri Decoin avec Françoise Arnoul. En 1952, sur sa lancée, elle interprète *Adorables Créatures,* de Christian-Jaque, avec Daniel Gélin. Puis, en 1952, *Belles de Nuit,* avec Gérard Philipe, sous la direction de René Clair.

Elle revient alors à la série des *Caroline,* avec *Un caprice de Caroline Chérie,* de Jean Devaire, avec Claire Maurier, et les partenaires du premier de la série.

On ne quitte pas les costumes d'époque si facilement. Martine tourne une *Lucrèce Borgia* de Christian-Jacque.

Mais ces films se mettent en travers de sa vie conjugale. Le qualificatif conjugal indique pourtant qu'on vit ensemble, mais les affaires de Steve Crane sont en Amérique et la carrière de Martine se déroule en France. Qu'y peuvent-ils ? Le 18 avril 1953, Martine renonce à son rêve heureux d'épouse comblée et dépose une demande en divorce d'avec le beau mari que toutes ses camarades lui envient. C'est, pour elle, un instant de grave déception. Et elle continue à s'étourdir de travail en tournant successivement de nombreux films très moyens, mais qui font sa fortune : *La Pensionnaire* (La Spiaggia), dirigé par Alberto Lattuada avec Anna Pisani ; puis un film que n'aurait pas désavoué Aristophane, une *Lysistrata,* épisode du film *Destinées,* tourné par Christian-Jaque. En 1954, elle est la partenaire de Bernard Blier dans *Secrets d'alcôve*, sous la direction de Jean Delannoy. Christian-Jaque lui fait tourner *Madame Du Barry,* avec André Luguet, qui interprète Louis XV.

André Luguet, qui fut un peu « la Cassandre » de Martine m'adressa cette lettre :

« Mes impressions sur l'infortunée Martine Carol ? Je ne puis vous en dire que du bien.

« Sa réussite au cinéma, où j'ai eu le plaisir de tourner, avec elle *Madame Du Barry,* a été un feu de paille.

« Mais un feu de paille ravissant qui éblouissait et réchauffait tous les cœurs qu'elle traînait après elle.

« C'était une adorable camarade dont la mort tragique et prématurée m'a peinée comme elle a peinée bien d'autres de ses partenaires.

« La vie des artistes est souvent éphémère, et je sais gré à la providence que la mienne ait si longtemps durée. »

L'année suivante, elle est à Londres, pour *Au bord du volcan (Action of the Tiger)* avec Van Johnson et Sean Connery. Puis, juste avant le tournage de *Nana,* elle a, avec Darryl Zanuck, un incident assez drôle.

L'intermède Zanuck.

A ce moment-là, Martine séjourne en Grande-Bretagne où elle a été engagée pour le film *Au bord du volcan* en 1957. L'œuvre est produite par la Metro Goldwyn Mayer. Elle est alors sous contrat avec la Fox mais, selon les usages qui régissent les relations entre les firmes, la Fox « a prêté » Martine à la M.G.M.

Un soir, elle assiste à la projection des séquences tournées dans la journée, avec l'état-major du film, les assistants, les techniciens et les autres interprètes. Un homme, alors que l'obscurité a été déjà faite dans la petite salle, vient s'asseoir à côté d'elle et, très vite, elle se rend compte que, la tête tournée vers elle, il s'intéresse beaucoup plus à son profil qu'aux images qui défilent sur l'écran. Lorsque les lumières reviennent, elle se tourne vers son voisin. Il lui semble le reconnaître. Ce n'est pas un acteur, elle en est certaine mais elle a vu maintes et maintes fois son visage dans les revues et les journaux spécialisés. Soudain, elle se souvient : il s'agit de Darryl Zanuck, un des plus puissants producteurs américains.

Sans cesser de la regarder et, en silence, Zanuck allume un gros cigare, en tire une bouffée épaisse et ne s'aperçoit pas — ou refuse de s'apercevoir — que Martine détourne la tête avec une grimace écœurée. Il lui dit :

— Je suis Darryl Zanuck, le directeur de la Fox. Je déplore la légèreté avec laquelle ma firme vous a prêtée à la M.G.M. Il faut absolument que vous tourniez pour nous.

Il ajoute aussitôt :

— Donnez-moi l'adresse de votre hôtel. J'irai vous voir, nous parlerons sans être dérangés.

Bien qu'éberluée par le sans-gêne de l'homme au cigare, Martine donne son adresse. Après tout, Zanuck est son patron, le grand manitou de la maison de production pour laquelle, logiquement, elle devrait tourner en exclusivité. Zanuck note cette adresse, avec application, sur le carnet qu'il a tiré de sa poche. Ensuite, il se lève et s'en va sans seulement la saluer.

Revenue de sa surprise choquée, Martine réfléchit et, toute seule, commence, comme on dit, à se monter la tête. Zanuck l'a beaucoup froissée. Il l'a abordée comme on aborde, dans la rue, un agent de la circulation quand on cherche son chemin et elle n'est pas habituée à ces manières de soudard. Ensuite, s'il avait vraiment l'intention de l'employer pour la Fox, il aurait suivi une voie plus conforme à la hiérarchie administrative. Finalement, elle conclut que Zanuck n'a nullement l'intention de l'enrôler sous la bannière de la Fox. Ce qu'il veut, c'est mieux la connaître ou, peut-être, la connaître au sens biblique du terme. A aucun moment (est-ce modestie ? Est-ce candeur ?) il ne lui vient à l'esprit que *Caroline Chérie* a fait d'elle une vedette, que son nom est connu, que le projet de Zanuck n'a rien de particulièrement suspect et qu'il est assez grand garçon pour faire tourner n'importe quel acteur sans avoir besoin de demander conseil à personne.

Les soupçons de Martine se confirment lorsque, en regagnant la suite qu'elle occupe à l'hôtel, elle la retrouve transformée en roseraie. Des roses roses, blanches, rouges et jaunes, il y en a partout, jusque dans la salle de bains. La carte de visite du producteur les accompagne. Martine se couche, sa surprise changée en stupeur. Le lendemain, aux aurores, le téléphone l'éveille en sursaut. C'est Zanuck.

— Avez-vous reçu mes roses ? Oui ? Parfait. Ne bougez pas, j'arrive, je suis dans le hall.

Et il raccroche sans que Martine ait eu le temps de protester, de placer un mot, ni même de lui dire merci.

La colère de Martine se ranime. Elle va devoir se défendre, c'est clair, contre les entreprises de ce satyre. Mais comment lui échapper ? Elle est déshabillée, encore au lit et ce bonhomme-là, peu habitué à ce qu'une femme lui dise non, a de plus l'air fort comme un Turc bien décidé de passer à l'action.

Martine appelle à son secours Maggie, son habilleuse qui occupe la chambre voisine. Toutes deux mettent au point un plan de défense.

— Reste dans ta chambre, lui dit Martine, je vais ouvrir le verrou de la porte de communication. Si tu m'entends crier, en français : « Maggie, apporte-nous à boire », tu te montres simplement avec le plateau, ça suffira. Mais si je te parle en anglais, appelle le concierge à la rescousse. Vu ?

— Vu. Du whisky à la moindre tentative d'approche, le concierge s'il te saute dessus.

Martine, qui a sonné pour qu'on lui apporte son petit déjeuner, a juste eu le temps de se verser une tasse de thé lorsque Zanuck s'annonce. La femme de chambre qui a apporté le plateau lui ouvre et s'esquive. Le producteur entre dans l'appartement comme en pays conquis. Il mâchouille entre ses dents un de ses énormes cigares.

— J'ai horreur de l'odeur du cigare, surtout le matin, remarque Martine, glaciale.

— O.K., baby, acquiesce Zanuck et il éteint paisiblement le bout incandescent de son cigare dans la tasse de thé que Martine s'apprête à porter à ses lèvres.

Il s'installe dans un fauteuil qu'il rapproche du lit, regarde la jeune femme avec des yeux souriants, pleins de malice (de convoitise aussi) et, machinalement, tire un autre cigare de son étui et l'allume. L'allumette va rejoindre le cigare éteint qui flotte dans la tasse de thé. Tout de suite, Zanuck entre dans le vif du sujet et la phrase qu'il prononce n'est pas du tout celle à laquelle s'attend Martine.

— Il faut que je vous parle de votre mari.

En l'occurrence, le mari de Martine, à l'époque, est Christian-Jaque.

— Comment ça ? interroge Martine, interloquée. C'est pour me parler de mon mari que vous m'éveillez à l'aube ?

— Mais oui, sourit Zanuck. Que diable vous imaginiez-vous ?

— Oh ! rien, rien, s'empresse de répondre Martine. Alors ? Mon mari ? Qu'y a-t-il ?

— Il y a qu'il n'est pas facile à manier.

Il explique alors à la comédienne que, depuis des mois, Christian-Jaque refuse systématiquement les scénarios que lui soumettent la Fox et dont le rôle-vedette est, naturellement, réservé à Martine. Cette dernière tombe des nues. Elle ignorait tout. Jamais Christian-Jaque ne l'a pas mise au courant de ces tractations manquées.

— Qu'en pensez-vous ? demande Zanuck.

Ce que Martine en pense ? Mais rien, rien du tout. Elle n'est pas au courant et elle hausse les épaules. Zanuck, qui ne la quitte pas des yeux, a un petit sourire entendu :

— Eh bien, moi, je pense qu'il est jaloux et qu'il veut être seul à vous diriger, non ?

Peut-être. Là-dessus, Martine n'a pas d'opinion bien définie, encore que Christian-Jaque la laisse tourner en ce moment sous la direction de Young.

— Cela le regarde, répond-elle enfin. Elle ajoute aussitôt : Et maintenant, j'aimerais bien que vous me laissiez. Il faut que je me lève pour aller au studio.

— Tout à l'heure. Ce problème, il est important de le résoudre tout de suite. C'est pour ça que je suis là ce matin.

La face soudain congestionnée, il se rapproche de Martine prête à rejeter les draps pour se lever, et tente de la saisir. Affolée, elle crie :

— Maggie ! Maggie ! Apporte-nous à boire.

Elle a crié très fort (en français) et Maggie entre presque aussitôt, avec une bouteille et des verres. Elle se dépêche tellement qu'elle se prend les pieds dans une carpette et manque de tomber avec sa charge. Zanuck la regarde, regarde ensuite Martine et, comme il a l'esprit vif, se rend compte que l'actrice et sa complice ont organisé cette mise en scène au cas où... Sans un mot, il se lève et sort dignement.

Mais le soir, alors qu'elle vient de passer la journée au studio, Martine reçoit un coup de téléphone du producteur.

— Martine, c'est sérieux, il faut que je vous parle.

— Ah ! s'écrie Martine, vous n'allez pas recommencer, ça suffit comme ça.

Et elle raccroche brutalement.

Mais Zanuck l'attend dans le hall de l'hôtel quand elle descend pour dîner. Elle hâte le pas. Il la suit et soudain, elle s'arrête net. Elle vient d'entendre, dans son dos, la phrase que les acteurs préfèrent à toute autre.

— Je vous engage. Oui, répète Zanuck, je vous engage. Vous jouerez dans *Cancan,* avec Gary Grant, Otto Preminger, le réalisateur, est d'accord.

Mais, au lieu de se retourner et de sourire au producteur, Martine se fait encore plus distante :

— Voyez mon impresario. Téléphonez-lui à Paris et

discutez avec lui des conditions. Je ne puis rien faire de plus pour vous.

Cette fois, Zanuck se fâche :

— Dites donc ! Vous êtes actrice, que je sache et, par-dessus le marché, sous contrat avec la firme que je dirige ! Alors, réfléchissez bien. Jamais, sûrement, vous ne retrouverez une chance pareille. Jamais personne n'a osé me traiter ainsi !

— C'est une habitude à prendre, réplique Martine, très sûre d'elle.

— Bon, murmure Zanuck, vaincu. Que puis-je faire pour vous ?

— Eteindre votre cigare.

« Après cette scène, devait ensuite raconter Martine, Zanuck est resté sans voix et, tous les deux, nous avons continué de jouer à cache-cache. Tous les matins, il se présentait à l'hôtel et s'entendait répondre par la réception que “ Madame Carol [était] sortie ”. Alors, il se pendait — sans aucun résultat — au téléphone. Parfois, pourtant, il parvenait à me joindre et se faisait démon tentateur : “ Ecoutez-moi, mon petit, je peux beaucoup pour votre carrière ” — “ Ma carrière ? Je l'ai menée jusqu'ici sans vous ”, etc. Ces passes d'armes se terminaient quelquefois sur une menace : “ Attention ! si jamais je me fâche sérieusement, votre carrière sera vite terminée. ” — “ Essayez toujours, il n'y a pas qu'un Zanuck, et qu'une maison de production au monde. ” »

Mais, tout le temps que dure cette guerre en dentelles, Zanuck continue d'étouffer Martine sous les roses, de la bombarder d'invitations à des cocktails, des dîners, des galas, des générales. Elle reçoit aussi, de temps à autre, une caisse de champagne. Il multiplie les occasions de la rencontrer mais elle le fuit avec persévérance, bien qu'il lui promette, avec les plus beaux rôles, les plus riches fourrures, les plus étincelants bijoux, les plus coûteuses voitures. Il lui promet aussi, sans jeu de mots, l'Amérique. Seul, Hollywood est digne de son talent !

— Je n'en doute pas, répond Martine, moqueuse. Signez-moi le contrat pour *Cancan* et après, nous aviserons.

Les seules occasions où Zanuck peut surprendre Martine se présentent lorsqu'elle tourne « Au bord du volcan ». Il arrive sur le plateau, entre deux prises de vues, car sur le set voisin, l'actrice américaine Jean Collins tourne un film pour la Fox et Zanuck lui rend souvent visite. Mais là encore, il ne gagne pas souvent car les camarades de Martine la préviennent de l'arrivée de son soupirant. Van Johnson, le partenaire de la comédienne, l'avertit :

— Martine, ton amoureux transi est proche. Je sens l'odeur de son cigare !

⁂

Un soir, très tardivement, alors que Martine est prête à se mettre au lit, un coup de téléphone de Zanuck lui parvient :

— Mon ange, vous avez gagné... Venez signer votre contrat pour *Cancan*. Il est prêt.

Martine hésite :

— Ça ne peut pas attendre demain matin ? Il est minuit passé et je suis exténuée.

— Non, demain matin, je m'envole pour New York. Venez me rejoindre, mes collaborateurs et moi, à l'hôtel Savoy. J'envoie une voiture vous chercher.

Elle accepte, bien qu'il lui semble suspect que cette signature ait lieu dans la suite personnelle de Zanuck. Mais, après tout... S'il doit s'envoler le lendemain pour New York... Et puis, avec ce diable d'homme, tout est possible, surtout l'imprévu !

Seulement, quand elle pénètre dans l'appartement de Zanuck, s'attendant à voir le producteur en complet foncé et cravate assortie, papiers et stylo en main, entouré de deux hommes de loi et d'un bataillon de secrétaires, Martine sursaute. Zanuck est en pyjama. Et il est seul. « C'est un traquenard », pense-t-elle.

Faisant aussitôt demi-tour, elle se précipite vers la porte, la franchit et se met à courir dans le couloir. Zanuck, décidé à en venir à ses fins, la poursuit, passe la porte à son tour et galope dans le couloir. Et tout se déroule comme dans les vaudevilles bien agencés. La porte de la chambre claque sous l'effet d'un courant d'air et Zanuck est obligé de recourir à une femme de chambre de l'étage pour la faire réouvrir. Quant à Martine, elle est déjà loin.

Quelque temps plus tard, alors qu'elle a répandu cette aventure dans la presse, Martine achève son récit en accordant, faussement indulgente, le bénéfice du doute au grand patron de la Fox : « Il est possible que j'aie eu tort de penser que Zanuck m'avait monté un bateau à propos de *Cancan,* qu'il ne m'avait attirée chez lui que sous ce prétexte. Mais je n'ai jamais cherché à éclaircir ce mystère. »

Finalement, entre Zanuck et Martine, cette guérilla était devenue une sorte de jeu dont chacun respectait les règles. Lui feignait de la poursuivre avec une ardeur qui n'existait sans doute plus. Elle-même s'ingéniait à sortir sans dommage et le plus ostensiblement possible des situations ambiguës dans lesquelles il la plaçait.

Un jour que Zanuck avait invité Martine à déjeuner en compagnie de son futur metteur en scène, Otto Preminger, et l'actrice italienne Elsa Martinelli, le producteur, juste au moment de se mettre à table, choisit sa place sans se préoccuper des autres convives et, avec un sourire dont Martine saisit aussitôt la signification, approche pour elle la chaise voisine de la sienne. Tout au long du repas, des radis à la mousse, à l'ananas, Zanuck fait de son mieux pour exprimer, devant Preminger et Elsa Martinelli, la tendre admiration qu'il voue à Caroline Chérie, pour leur laisser croire, aussi, qu'elle n'a plus rien à lui refuser. Ce sont des regards appuyés, des allusions voilées, des pressions de main, des caresses sur la joue. A un certain moment, la conversation tombe sur une jeune actrice anglaise, qui s'affiche avec un banquier connu, en âge d'être son grand-père.

— Ce genre de choix n'est pas mon genre, dit alors Martine. J'ai toujours préféré les petits-fils aux bons vieux grands-papas, aussi riches et puissants soient-ils. N'est-ce pas, monsieur Zanuck ?

Et Zanuck éclate de rire, mais il laisse quand même sa main sur l'avant-bras de Martine.

La sainte colère qu'elle n'éprouvait plus depuis longtemps à propos des cigares de Zanuck faisait également partie de la comédie. De retour à Paris, Martine, quelque temps plus tard, le retrouva à la générale de la nouvelle revue du Lido et prit place à la table du producteur. Il manifesta beaucoup de joie de la revoir, parla beaucoup avec elle et lui dit, en allumant son éternel cigare :

— Puis-je faire quelque chose pour vous ?

Ainsi ramenée au temps de leurs premières escarmouches, Martine lui lança la réplique qu'il attendait :

— Oui. Eteindre votre cigare.

6
Une adorable créature

Christian-Jaque tourne *Adorables Créatures,* un film à sketches dans lequel Martine Carol joue ; dans lequel aussi on trouve cette réplique, due, autant qu'il m'en souvienne, à Henri Jeanson : « Un vison, c'est la Légion d'honneur d'une femme. » Si, après *Caroline Chérie,* le public a baptisé la jeune vedette Martine chérie, sur le plateau, à présent, nul ne mérite mieux qu'elle d'être qualifiée d'adorable créature. Jamais de caprice, jamais de retard, jamais de crise de nerfs. Or, un jour, elle fait un faux pas sur le plateau, tombe lourdement et se plaint : « Je me suis cassé la jambe. » Personne ne la croit. Il est impossible, selon la manière dont elle est tombée, qu'elle se soit brisé quelque chose.

— Allons, relève-toi, lui dit-on. Ne fais pas l'enfant.

— Mais je ne peux pas, crie Martine, ça me fait mal.

Elle reste à terre, pleure, se tient la jambe à deux mains. Personne ne bouge, on attend, on s'impatiente, parce que la minute coûte cher au studio. Enfin, Christian-Jaque s'approche de sa vedette et lui dit :

— Ecoute, Martine, tu n'as rien de cassé et tu nous fais perdre notre temps. D'habitude, tu ne joues pas les emmerdeuses. Alors, lève-toi.

Toujours pleurant et pour prouver qu'elle n'est pas une emmerdeuse, Martine essaie de se mettre debout, y parvient difficilement, tente de faire un pas et hurle. Sa cheville gauche, qui a doublé de volume en quelques minutes, la fait beaucoup souffrir. Il n'y a pas de fracture, comme le constate le médecin, mais une foulure suffisamment grave pour obliger Martine à rester allongée une quinzaine de jours. Christian-Jaque vient fréquemment prendre de ses nouvelles et il lui dit, un après-midi qu'ils sont seuls et qu'elle s'est laissée aller à quelques confidences désabusées :

— Tu manques autant d'organisation que de volonté. Ce n'est pas comme ça que tu arriveras à te stabiliser dans la vie.

— Tu as raison, reconnaît Martine. Malheureusement, je passe mon temps à hésiter entre deux décisions. Je ne sais jamais ce qui est bon ou mauvais pour moi. Je n'ai personne pour me guider, me conseiller.

Cet aveu implique qu'elle aimerait avoir, à ses côtés, un homme de la trempe de Christian-Jaque. Elle sait combien le metteur en scène est intelligent, avisé, prudent, habile. Oui, il n'y a que lui qui soit capable de lui donner l'assurance dont elle manque, la confiance en soi qui lui fait défaut. Son mariage avec Steve Crane a été un échec dont elle s'accuse partiellement, sa séparation est plutôt une délivrance qu'un chagrin. Elle n'a pas eu, de toutes manières, le temps de s'appesantir sur ses ennuis sentimentaux, elle travaille trop pour cela. Elle est libre de toute attache. Son cœur est à prendre et elle souhaite connaître un nouvel amour, s'appuyer sur un nouveau compagnon. Pourtant, quand elle dit à Christian-Jaque : « J'ai besoin qu'on me conseille », elle ne lui fait pas une déclaration d'amour. C'est plutôt une déclaration de faiblesse, un appel au secours. Christian-Jaque n'est pas libre, il est le mari de Renée Faure, de la Comédie-Française.

Martine se rétablit, achève de tourner *Adorables Créatures* et Christian-Jaque, de son côté, met la dernière main à ce film charmant qui sera un succès. Il a déjà en tête un autre projet, il tient à faire revivre Lucrèce Borgia, de sinistre mémoire, et à la réhabiliter aux yeux du commun. Pourquoi pas ? Mais Christian-Jaque voit grand. Ce n'est pas un homme auquel on rogne les ailes en le soumettant à des règles d'intransigeante économie. La *Lucrèce Borgia* que conçoit le réalisateur exige l'investissement d'énormes capitaux. Il faut énormément d'argent pour reconstituer la cour des Borgia à Florence, construire les décors, créer les costumes de la Renaissance, particulièrement somptueux. Il faut aussi engager des vedettes, s'assurer des seconds rôles, préparer les mouvements de foule avec des dizaines d'artistes de complément.

Sollicités, les producteurs hésitent. Qui sait si le projet grandiose de Christian-Jaque n'aboutira pas à un fiasco où s'engloutira leur bel argent ? L'un d'eux, cependant, a une idée. Il la soumet au metteur en scène.

— Votre film n'est pas irréalisable, lui dit-il, mais les risques sont grands. Pour mettre toutes les chances de notre côté, il faut introduire dans le jeu un atout de plus, un atout dont la présence agira comme un aimant sur le public. Alors, voici ce que je vous propose : c'est d'accord si nous avons Martine Carol pour le rôle de Lucrèce. Avec elle, on joue sur du velours. Même si le sujet ne plaît pas au public, elle attirera les spectateurs et remplira les salles.

— Si vous la décidez, renchérit un autre producteur nous doublons la somme que vous demandez.

Ce genre d'argument sonne toujours bien aux oreilles de celui auquel il est adressé. Mais Christian-Jaque se garde bien de sauter au cou des producteurs en chantant alléluia.

Il reste réservé, leur montre un visage impassible et même, il y a quelque hésitation dans sa voix lorsqu'il répond à cette proposition inattendue : « Je vais tâcher d'arranger ça. » En réalité, il exulte. Il est sûr de la réponse de Martine. Comment pourrait-elle refuser un rôle de cette importance ? En outre, une raison, toute sentimentale, la poussera à accepter. Fait presque unique dans l'histoire romanesque du cinéma, Christian-Jaque et Martine sont « fiancés » et la rumeur n'a pas encore transpiré. La seule chose capable d'attirer l'attention d'un observateur attentif est la surprenante joie de vivre qui anime Martine depuis quelques mois. Ses amis et connaissances ont affaire à une jeune femme rayonnante, étincelante, heureuse, totalement transformée. Martine est devenue une telle image du bonheur qu'un chroniqueur américain qui l'a rencontrée dans une soirée écrit à propos d'elle qu'elle devrait être personnifiée par un soleil d'été. D'autre part, elle ne se fait plus aucun souci pour sa carrière. Elle s'est déchargée sur son futur mari — ils ont décidé de se marier sitôt le divorce de Christian-Jaque prononcé — de tous les soucis que lui apportaient sa profession, et elle s'abrite avec joie derrière cet homme raisonnable pour deux.

Lucrèce Borgia est tourné, non pas dans la joie et la sérénité, car un film de cette ampleur apporte toujours de grosses difficultés de tout ordre.

Ce que Martine ignorera toujours, c'est qu'elle fut l'une des grandes amours du nain Piéral, qui jouait avec elle dans le film. Il avait déjà tourné avec elle *Voyage surprise* et il l'appelle dans son livre *Vu d'en-bas* [1], « Martine la délicieuse ».

« C'est avec elle que j'étais le plus copain, écrit-il. C'était une fille adorable, jolie comme elle l'est restée jusqu'au bout d'une vie trop courte et, finalement, fort triste. (...) Dès le premier regard, j'avais compris qu'elle était trop

---

(1). Éd. Robert Laffont.

bonne fille. J'ai rarement connu une femme qui se soit fait autant exploiter par d'autres femmes et quelques hommes aussi.

« Quand, beaucoup plus tard, je la rencontrai au cours d'un gala, à Bruxelles, je fus terrifié. On voyait qu'elle avait déjà glissé sur la pire des pentes, celle qui est jalonnée par d'innombrables tentatives de suicide, jusqu'à la bonne, celle qui réussit ! Mais que lui dire ? Que faire ?

« J'ai, depuis ce jour, gardé accroché à mon cou une médaille d'or qu'elle m'offrit, pendant le tournage de *Lucrèce Borgia.* »

Martine méritait largement d'être qualifiée de « délicieuse ». Sa gentillesse était pour ainsi dire proverbiale. Au studio, elle se montrait aimable, sans effort, avec tout le monde. Elle s'inquiétait de la rougeole des enfants d'un machiniste, des rhumatismes qui faisaient tant souffrir la belle-mère d'un électricien, des ennuis domestiques du deuxième ou troisième assistant. Et, avec ça, elle était d'une générosité folle ! Elle savait offrir avec une infinie délicatesse. Personnellement, je me rappelle qu'un jour, à Cannes, elle me dit : « Viens avec moi chez un bijoutier qui a sa boutique dans le vieux Cannes. Il fabrique d'extraordinaires bijoux de fantaisie. Je voudrais acheter des boutons de manchette pour un ami que j'aime beaucoup et j'ai peur de ne pas savoir les choisir. »

J'accepte, naturellement. Nous allons donc chez le bijoutier. Martine achète la parure que je lui désigne et nous sortons de l'atelier de l'artisan. Nous marchons dans la rue et Martine me glisse le petit paquet dans la main. « Tiens », dit-elle, c'est pour toi. Je voulais que tu m'accompagnes. Comme ça, j'étais sûre que les boutons te plairaient. »

Dans un article « Croquis sans retouche » dû à mon ami journaliste Jean Vietti, à présent disparu, ce dernier écrivait, en parlant d'elle : « Et quel personnage adorable dans la vie ! Elle aime : la Vie... L'Amour... Les bonnes et belles choses... Faire de la peinture... La musique classique... Les rôles de Carole Lombard... Chez les hommes : leur taille et leur charme... Les actrices : Edwige Feuillère, Michèle Morgan, Micheline Presle. Les acteurs : Pierre Fresnay, Jean Gabin, Gérard Philipe... Le homard à l'américaine, les moules marinière et les omelettes norvégiennes... Et puis le champagne... et encore les romans d'amour... Elle déteste : Se lever tôt... Les gens qui sont fats... Les endroits où l'on s'ennuie... La solitude. »

La solitude ! Comme elle en avait peur ! Un été où je passais mes vacances à Cannes et où elle-même séjournait à la ferme Saint-Jean, elle me téléphona trente-deux fois en une seule journée !

Dans les dernières années de sa vie, peu avant qu'elle épousât Mike Eland, elle me demandait quelquefois de venir passer la nuit avec elle. N'allez surtout pas vous faire des idées ! Elle ne réclamait qu'une présence à ses côtés. Nous nous installions, elle sur son lit et moi, sur un sofa. Nous parlions jusqu'à l'aube et elle finissait par s'endormir, paisible, confiante, rassurée. Elle m'avait avoué, un jour, qu'il lui était arrivé de payer une prostituée pour qu'elle ne la quittât pas de la nuit, tant elle avait peur de ce qu'elle appelait ses heures noires.

Ensuite, et toujours avec Martine, Christian-Jaque réalise *Madame Du Barry*. Encore un rôle à costumes ! Le tournage de cette production à grand tralala se révèle au moins aussi pénible pour elle que celui de *Lucrèce Borgia*. Ayant à jouer une scène où plusieurs acteurs se battent à grands coups d'épée, elle est placée au centre stratégique du combat. Les lames s'entrecroisent à quelques centimètres de son visage et de ses oreilles. La scène est recommencée deux fois, trois fois, quatre fois. Martine se sent nerveuse. Elle sait que son mari n'a pas l'habitude de ménager ses vedettes mais il lui est difficile d'oublier que son amie

Lollobrigida a failli devenir borgne, précisément dans une scène semblable, pendant le tournage de *Fanfan la Tulipe.*

Lorsque Christian-Jaque crie, après la quatrième prise : « On remet ça », elle proteste : « Ah ! non, j'en ai assez. » Le metteur en scène se fâche :

— Si, on recommence et on recommencera jusqu'à ce que tu ne baisses pas la tête et qu'on voie ton visage !

Heureusement, Christian-Jaque se déclare satisfait de la cinquième prise.

Il nourrit maintenant un nouveau projet : porter à l'écran *Nana,* le célèbre roman d'Emile Zola.

— A présent, dit-il à Martine, tu es capable de faire vivre un personnage de la densité de Nana.

Pour Martine, le tournage est encore une dure épreuve mais pour être impartial, ce n'est pas non plus une partie de plaisir pour son mari. Sûr que Martine mérite mieux que d'être rangée dans la catégorie des pin-up, il s'improvise professeur et s'efforce d'achever la tâche commencée par René Simon. Il veut faire de Martine une véritable actrice. Physiquement, elle est parfaite mais elle est encore maladroite dans ses interprétations, assimile plus ou moins bien ses personnages et sa diction a besoin d'être travaillée... Ah ! la diction de Martine !

Sur le plateau, les techniciens disent que Christian-Jaque mène sa femme au fouet. C'est vrai. Heureusement qu'elle fait preuve d'une parfaite docilité, d'une bonne volonté touchante. Et il lui en faut. Christian-Jaque ne laisse rien passer. Sans cesse, il reprend la jeune actrice, quelle que soit sa fatigue, quel que soit son découragement. Il l'oblige à recommencer une scène, à modifier ses attitudes, ses expressions... à indiquer, sans appuyer, une intention. Il ne la laisse enfin en paix que lorsque, lui, s'estime satisfait.

La présence de Charles Boyer, qui interprète dans le film le comte Muffat, intimide fort Martine Carol. Elle le connaît cependant un peu pour l'avoir rencontré, une seule fois, au cours de ses pérégrinations avec le cirque Barnum, aux Etats-Unis. Célèbre, il l'est. Il l'était même déjà au temps où la jeune comédienne allait en pension. Comme toutes les adolescentes de sa génération, elle a rêvé de le connaître un jour. Aujourd'hui, elle s'émerveille encore de sa chance. Devant Charles Boyer, elle écarquille des yeux grands comme des soucoupes et répète, un sourire heureux aux lèvres : « Quand même, c'est drôle, la vie ! Quand j'avais dix-sept ans, si on m'avait dit qu'un jour, je serais votre partenaire, je ne l'aurais pas cru. »

Mais le jeune premier des années d'avant-guerre a changé, bien sûr. Il est devenu un homme fort élégant, aux manières courtoises, un séducteur aux tempes grises. Il prend son métier au sérieux, se montre sage et zélé, se révèle plein de manies.

Tout d'abord, on ne saurait prétendre que Charles Boyer se jette au cou de quiconque. Sa réserve confine à l'indifférence, il ne se mêle guère aux acteurs et aux techniciens. Sur le plateau, il reste à l'écart et, quand il ne tourne pas, s'installe dans un fauteuil placé à proximité des issues, tant il est hanté par la terreur d'un incendie toujours possible. Une autre phobie l'habite : la peur des microbes. Dans ses poches, il accumule des comprimés, des pilules, des gélules, qu'il absorbe à la cadence de un tous les quarts d'heure. Sa bouteille d'eau minérale le suit partout car il estime que boire de l'eau du robinet équivaudrait pour lui à signer son arrêt de mort.

Entre Martine et son partenaire, on ne peut pas dire que les relations sont tendues mais il n'existe ni amitié ni complicité. Ils ont ensemble, notamment, un différend qui ne dépasse guère les limites du plateau, car il s'agit d'un heurt purement professionnel.

Nous avons tous un profil plus réussi que l'autre. Pour Martine, c'est le gauche. Pour Boyer aussi. Et chacun, naturellement, veut offrir à la caméra son meilleur aspect. Finalement, c'est Martine qui cède. Charles Boyer fait état de son contrat où est inscrit cette clause essentielle : il sera toujours photographié du côté gauche.

Nana est bien accueilli par le public. Mais il a coûté beaucoup de larmes à Martine et il a usé les nerfs de Christian-Jaque. On se demande comment ils n'ont pas divorcé après le tournage, disent les bonnes langues du cinéma. L'un et l'autre ont besoin de souffler. Pour laisser à leurs irritations cachées le temps de se cicatriser, ils se séparent momentanément. Martine part pour l'Allemagne tourner *Lola Montès,* avec Max Ophüls et Christian-Jaque dirige *Tous les gars du monde.*

Le miracle Lola Montès.

La Vie extraordinaire de Lola Montès est aussi une œuvre de Cecil Saint-Laurent. Elle retrace la vie d'une courtisane du second Empire et elle est suffisamment mouvementée et romanesque pour qu'un cinéaste soit tenté de la porter à l'écran.

Ce cinéaste est Max Ophüls. Il fait appel à Martine Carol pour incarner une femme que, au temps des crinolines, certains déclaraient être venue de l'enfer et d'autres descendue du ciel. Sans doute la vérité est-elle entre les deux. Mais ce qui ressort quand même et avant tout de la psychologie de Lola Montès est qu'elle préférait les louis d'or aux mandolines. Le personnage est intéressant, il correspond à la ligne de « rééducation » artistique entreprise par Christian-Jaque sur Martine lors du tournage de *Nana,* elle-même courtisane du second Empire. De plus, la voix est à présent bien posée, la diction meilleure, l'interprétation plus élaborée.

Dans le film, c'est par un retour en arrière que débute l'histoire. Vers 1880, un grand cirque, qui a planté son chapiteau à La Nouvelle-Orléans, présente au public une succession de tableaux qui retracent la vie de Maria-

Dolores Porris y Montez, comtesse de Lansfeld, dite Lola Montès. Le clou de ce spectacle, très réussi, est la présence de Lola elle-même. Déchue, exilée, ruinée, celle qui a compté parmi les « biches » les plus belles, les plus lancées sous Napoléon III, joue son propre personnage. Il lui a bien fallu accepter cette humiliante et tragique exhibition pour ne pas mourir de faim et de solitude. Elle a eu pour protecteurs les plus grands noms de France, a conquis le roi de Bavière que la raison d'Etat a obligé à se séparer d'elle.

Le film fait défiler devant nous son bref et tumultueux mariage avec l'amant de sa mère, quelques-unes de ses aventures scandaleuses avec un chef d'orchestre italien, ses amours avec Liszt, l'épisode fabuleux et historique de sa liaison avec le roi Louis Ier de Bavière. Pour elle, il dilapides les fonds de l'Etat, la couvre de bijoux, lui fait construire des demeures princières. Finalement, elle doit fuir l'Allemagne à la suite d'une insurrection provoquée par son fol orgueil et la mise à sac des finances du petit royaume. A l'époque, la beauté de Lola s'est fanée, elle se porte mal et a grand besoin de sécurité et de repos. Faute de mieux, elle accepte la proposition d'un écuyer de cirque (joué par Peter Ustinov). Chaque soir, la foule emplit le chapiteau. On vient voir, on vient applaudir ou huer Lola Montès.

Le film, malheureusement, n'obtient pas le succès qu'il mérite. Martine — qui joue en brune, ce qui lui va fort bien — a été, ainsi que tous ses partenaires, savamment dirigée. Dans le film, elle est aussi belle que convaincante et le 7 décembre 1967, Henri Chapier écrit dans *Combat,* sous le titre : « Martine Carol était plus proche de Lola Montès que de Caroline Chérie », ce qui suit :

« Il serait injuste que la postérité ne retienne de Martine Carol que le personnage peu sympathique forgé par les journaux à scandales. Si un geste désespéré — de surcroît simulé — fut à l'origine de sa carrière, la publicité s'emparant de sa vie privée devait peu à peu étouffer l'intérêt du personnage.

« Pourtant, ceux qui ne s'arrêtent pas aux ragots de la presse populaire ont su déceler chez Martine Carol une sensibilité d'écorchée vive, une insatisfaction et un goût de l'aventure et des paris fous, dans le meilleur sens du terme.

« C'est à partir de cette découverte d'un être authentiquement inattendu, baroque, à multiples facettes, que Max Ophüls avait confié le rôle écrasant de cet incomparable chef-d'œuvre que reste *Lola Montès*, film qui avait vingt ou trente ans d'avance sur son époque.

« Ainsi, s'il y avait un quelconque rapport à établir entre la célèbre vedette et les péripéties de sa vie privée et professionnelle, on pourrait dire, sans risquer de se tromper, que Martine Carol fut beaucoup plus proche du monde d'une Lola Montès que de celui de Caroline Chérie.

« Elle en avait, du reste, parfaitement conscience, mais il ne lui appartenait pas de révolutionner les rouages du cinéma industriel, dans cette période d'après-guerre où ses atours ont le don magique de remplir les caisses. Elle avait du moins la finesse de jouer le jeu, avec Cecil Saint-Laurent, son démiurge, et Christian-Jaque, son complice et l'un de ses anciens maris.

« Si Martine Carol a réussi à donner à un certain cinéma populaire ce panache qui fit la gloire des films mi-sexy, mi-libertins, il était évident que la légende de Caroline Chérie comportait, comme toute médaille, son revers. C'est ainsi qu'elle subit, du jour au lendemain, une éclipse injustifiée.

« Martine Carol, comme beaucoup d'actrices de son âge, fut victime de cette hystérie de la jeunesse et du sexe qui mène nos producteurs où l'on sait... etc. »

Un tour du monde triomphal.

Martine Carol est désignée pour représenter, au cours d'un prestigieux tour du monde, le cinéma français dans ce qu'il a de plus brillant, de plus populaire aussi. Elle fait vraiment très star, très vedette à cent pour cent, avec tout ce que ce terme sous-entend de beauté indiscutable, soutenue par les artifices conjugués des cosmétiques et de la haute couture. Le teint clair sous ses cheveux couleur de soleil, la lèvre rieuse et l'œil savamment ombré, elle est faite au moule et s'habille à la perfection. Témoin ce souvenir qu'en a gardé Jean Rigaux :

« Cet été-là, par une soirée très agréable, j'étais en vacances dans ma maison de la côte de Ligurie, près de Savona. Pas un nuage dans le ciel, pas une seule ride sur la mer. Le téléphone sonne : Christian-Jaque m'appelait. Lattuada tournait à Spotorno (tout près de chez moi) son film *la Pensionnaire,* avec Martine Carol et Ralf Vallone. Je les invite à venir prendre un pot et je vois arriver dans le jardin, éclairé par de petites lampes multicolores, dans une robe blanche toute simple, mais très belle, Martine. Elle était radieuse, d'une beauté presque irréelle et avec un sourire adorable. Christian-Jaque était avec elle, ainsi que Spaak, l'auteur du film.

« On s'assied et j'avais de la peine à détourner mes yeux de cette beauté. La conversation était détendue et, chose étrange chez des gens du spectacle, on ne disait de mal de personne.

« Comme ils devaient tourner le matin de bonne heure, vers minuit, tout le monde s'en est allé et la dernière image que j'ai gardée de cette soirée, c'est celle d'une très belle femme rayonnante et qui, dans sa robe blanche, me disait adieu de la main.

« Je ne devais jamais la revoir. »

C'est donc cette « belle femme rayonnante », cette « beauté irréelle », qui va porter dans le monde le renom de notre industrie cinématographique. Pour la blonde ambassadrice, c'est un triomphe mais, plus encore, une mission, un devoir qu'elle accomplit avec autant de grâce que de sérieux.

Marie-Louise Mourer (future Martine Carol), à l'âge de trois ans.

Martine, le jour de sa communion solennelle.

Premier mariage
avec Steve Crane.

Deuxième mariage
avec Christian-Jaque.

Troisième mariage
avec le docteur Rouveix.

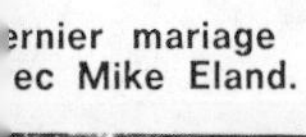

ernier mariage
ec Mike Eland.

1946. — Martine Carol obtient son premier grand rôle au cinéma dans « Miroir » dont Jean Gabin est la vedette.

1950. — Le rôle de « Caroline chérie », lui apporte la consécration. C'est à son tour de devenir vedette.

1953 — « Lucrèce Borgia »
(Réalisation : Christian-Jaque.)

1954 — « Madame Du Barry »
(Réalisation : Christian-Jaque.)

1954 — « Nana »
(*Réalisation : Christian-Jaque.*)

1955 — « Lola Montes »
(*Réalisation : Max Ophüls.*)

Le lendemain du jour où elle s'était jetée dans la Seine, par désespoir d'amour (avril 1947).

En tournant une scène difficile de « Natha lie », Martine se déplace une vertèbre cer vicale (mars 1958).

Victime d'une entorse et d'une conjonctivite, Martine renonce à sa rentrée au Théâtre de Paris (janvier 1964).

Son dernier film, « L'enfer est vide », avec Klaus Kinski pour partenaire, ne sera jamais présenté.

EXTRAIT
D'ACTE DE NAISSANCE

Registre N°
Année 1920
Folio 82

Le 16 mai 1920
jour *mois en lettres* *année*

à 16 heures en notre commune

est née : Marie-Louise Jeanne Nicolle MOURER
prénoms *et* *nom en majuscules*

du sexe Féminin

de
prénoms *et* *nom en majuscules*

né le
jour *mois en lettres* *année*

à
département *et* *commune*

(1) et de
prénoms *et* *nom en majuscules*

née le
jour *mois en lettres* *année*

à
département *et* *commune*

Mention marginale : ~~néant~~ - mariée ~~séparé de corps - divorcé~~ - décédée

Mariée le 30 Juin 1966 à Londres avec Thomas ELAND.-Avis de M. Le Consul Général de France à Londres en date du 8 Février 196 N° 126.-
Mentionner les références de la décision

Décédée le 6 Février 1967 à Monaco(Principauté).-

Inscription au répertoire civil N° /

Certifié le présent extrait conforme aux indications portées sur le registre par nous

B. CORDIER
prénoms et nom officier de l'état civil

d
département et commune

En mairie, le 19 Octobre 1978
date signature et cachet

Pour le Maire
Le Fonctionnaire délégué

(1) Cette rubrique ne doit être remplie que si l'extrait est délivré à une administration publique, à un héritier ou à une personne susceptible d'obtenir copie intégrale de l'acte de naissance.

24 07 20
IMPRIMERIES ADMINISTRATIVES CENTRALES
8 rue de Furstenberg 75006 PARIS

Comme bon nombre de stars, Martine Carol n'avait pas failli à la règle en se rajeunissant (... de deux ans!). Elle n'était pas née le 16 mai 1922 à Biarritz mais bien le 16 mai 1920 à Saint-Mandé ainsi que l'atteste cet extrait de naissance.

Pour toi ma petite
maman, prie souvent
pour ta petite fille
qui vous aime tous
les deux - si tendrement
- que Dieu vous protège -
Je vous embrasse fort
papa et toi

Risette

L'extrait d'une lettre de Martine (« Risette ») adressée à son père et à sa mère qu'elle aimait tendrement. Martine ne cessa de chercher réconfort auprès d'eux et leur aménagea un lieu de retraite dans le midi de la France.

Le début des honneurs : Martine Carol est invitée à l'Elysée par René Coty, président de la République, qui apprécie son talent et sa beauté.

Accueillie par Jean-Marie Proslier, Martine reçoit, en 1966, les hommages de Charles Aznavour lors de l'attribution, à Cannes, du ruban d'honneur de la chanson française.

Elle obtient, avec Gary Cooper, Gina Lollobrigida et Gregory Peck, la « Victoire » décernée par « Cinémonde » aux meilleurs acteurs de l'année.

Jean Cocteau, plus que tout autre, aimait la grâce et la beauté. Aussi témoigne-t-il d'une grande affection pour Martine qui était parée de ces deux incomparables qualités.

La dernière soirée parisienne de Martine en décembre 1966, au bal Fou-Fou-Fou, offert par Eddie Barclay. Martine, costumée en reine Elisabeth Ire, avait pour cavalier, Georges Debot.

Pendant plusieurs années, Martine avait cru trouver le Paradis à Tahiti dont elle parcourait les lagons en pirogue.

A la fin de sa vie, elle aima le charme de la ville de Londres où lui était offerte une existence de luxe.

La Ferme Saint-Jean, son refuge du midi de la France. Elle y jouait à la pétanque avec Claude Khan et Georges Debot, l'auteur de ce livre.

De là, elle partait pour Cannes où elle embarquait pour faire des promenades en mer. Ici, avec Fernand Raynaud.

La dernière apparition de Martine Carol au Festival de Cannes : ce n'était plus un au revoir mais un adieu au public qui l'adorait.

Ainsi, Martine est devenue l'arme secrète du cinéma français contre Hollywood et Rome. Pour bien vendre les films dans le monde entier, il faut s'assurer des « public relations » à la hauteur. Les Etats-Unis baladent Marilyn Monroe de capitale en capitale et l'Italie promène Lollobrigida. « Unifrance », la société qui défend le cinéma français à l'étranger ne peut rester en arrière. Elle aussi a sa botte de Nevers, son coup de Jarnac en la personne de Martine Carol et elle l'envoie répandre la bonne parole cinématographique à travers les cinq continents.

Grâce à ce choix, Martine Carol et Christian-Jaque vont bénéficier d'un voyage de noces que beaucoup de jeunes mariés leur envieraient, encore que les loisirs leur seront mesurés pendant cette tournée qui les mènera d'Israël au Japon, de Haïti à San Francisco. Martine et son mari emportent avec eux, dans leurs bagages, un film inédit en France, un montage spécialement conçu pour séduire les acheteurs éventuels. La bande rassemble des scènes — choisies parmi les meilleures — extraites des différents films tournés par Martine, de *Caroline Chérie* à *Lola Montès*, en passant par *Adorables Créatures* et *Lysistrata.* D'autres séquences, prises à *Si tous les gars du monde,* que Christian-Jaque a réalisé sans Martine, font partie de ce festival, et on y a adjoint *Ballon Rouge,* un court métrage primé à Cannes. Il a l'avantage d'être à peu près compris par tout le monde car on y parle fort peu.

Christian-Jaque et Martine commencent leur tour du monde par la Turquie. Istanbul s'enthousiasme. La foule s'y montre tellement dense et surexcitée que le service d'ordre est débordé au bout de quelques minutes. Les deux héros n'ont pas encore franchi les limites de l'aérogare qu'ils sont positivement noyés dans ce magma humain. Le consul de France, venu les accueillir, les perd de vue. Voulant à tout prix récupérer ses invités, il fonce dans le troupeau. Dans la courte lutte qui s'ensuit, son veston lui est arraché et tombe sur le sol. Le consul, imprudent, se baisse pour le ramasser et, à la seconde même où il en saisit une manche, perd conscience de ce qui se passe autour de lui. Il plonge dans un trou noir. Un photographe, juché sur un lampadaire, a lâché prise et s'est écrasé juste à l'aplomb du consul. Le malheureux s'en tire, par chance, avec un léger déplacement des vertèbres lombaires, autrement dit : un lumbago. Pendant plusieurs jours, il ne peut se déplacer que le corps courbé à angle droit. Quand le séjour de ses hôtes se termine, il prend congé de Martine en lui disant : « Chère Madame, c'est un homme plié en deux qui vous présente ses hommages. »

A Ankara, l'accueil est aussi délirant qu'à Istanbul. La police, près d'être débordée, ne voit qu'un moyen de soustraire les visiteurs à la mêlée : elle les jette dans la voiture la plus proche, sans tenter de leur frayer un chemin jusqu'à celle qui leur est destinée. Puis, la foule s'écoule, les fans se dispersent, le calme revient. Peu de temps après, un homme échevelé, la cravate de travers, se présente au commissariat de l'aéroport :

— Je viens déposer une plainte. On m'a volé ma voiture.

— Vous savez, remarque philosophiquement le commissaire, ça m'étonnerait. Disons plutôt qu'elle a été déplacée. Vous allez la retrouver bientôt. De toute façon, laissez votre adresse et votre numéro de téléphone.

Le plaignant s'exécute et le policier sursaute. C'est le consul du Brésil. Quelques heures plus tard, l'auto lui est ramenée. Elle stationnait devant l'hôtel où l'appartement de Martine et de Christian-Jaque a été retenu. Le véhicule n'a pas souffert de son trajet imprévu.

Tel-Aviv... Jerusalem... La foule est toujours aussi nombreuse, les vivats aussi nourris. A Bangkok, où l'avion atterrit après trente-cinq heures de vol, il fait 50° à l'ombre. Ecrasée de chaleur, Martine revêt, à la demande d'un groupe de jeunes Thaïlandaises, le costume sacré des danseuses du temps... A Hong-kong, où elle endosse la robe fendue des Chinoises, la « changsam ». Son succès dépasse celui de Clark Gable, de Marilyn Monroe et de Marlon Brando réunis. Déjà, à Hong-kong, elle a effacé le record des acclamations détenu, jusque-là, par Marilyn.

Tokyo... Elle y retrouve Jean Marais et Danielle Darrieux, venus au Japon pour tourner *Typhon sur Nagasaki,* tous deux si populaires qu'ils ne peuvent quitter leur hôtel sans une escorte de cent cinquante policiers. De Tokyo, elle s'envole pour Honolulu, San Francisco, Hollywood... A New York, Martine dévore des hot-dogs « gros comme ça ». En route, maintenant, pour l'Amérique centrale et l'Amérique du Sud. A La Havane, le célèbre romancier Ernest Hemingway, qui séjourne à Cuba, l'initie au tir à la carabine à répétition... A Acapulco, elle frise l'insolation. Dans une hacienda argentine, elle met la robe que portent les femmes de la Pampa, avec, accroché à la ceinture, le trépied qui sert à traire les vaches.

Partout, c'est le même élan, le même délire, la même adoration. Le mot « adoration » n'est pas exagéré. Martine est une idole devant laquelle « les gens s'agenouilleraient s'ils n'avaient pas tellement peur d'être écrasés par ceux qui sont debout et les poussent », lit-on dans un journal brésilien. On peut dire, sans exagération, que le monde entier sait que Martine, question couleurs, aime l'alliance du blanc et du noir ainsi que le bleu pâle ; qu'elle déteste, en revanche, le jaune et le rose ; que, parmi les fleurs, ses préférences vont aux tulipes et aux roses ; que ses lectures favorites sont les romans de Vicki Baum ; qu'en peinture, ses goûts la portent vers Renoir et Foujita. Ajoutons qu'elle n'apprécie pas les prouesses techniques d'Orson Welles et que, enfin, elle hait la sottise, la fatuité, la prétention.

Pour les habitants des pays qu'elle parcourt, elle est la vedette idéale, la star qui sait allier le charme et la classe de la Française, à l'éclat et au lustre de l'Américaine.

⁂

Mais ce qu'on ignore, ce dont on ne se doute même pas, tandis que Martine accomplit ce périple de quatre mois, cette épuisante performance d'athlète, c'est combien elle se fatigue !

Et elle a de quoi être fatiguée. Moralement encore plus que physiquement : Martine meurt de peur en avion... Une peur panique, insurmontable et que divers incidents, survenus en plein vol, n'ont pas contribué à calmer : « J'ai vu, racontera-t-elle à son retour, deux moteurs en feu alors que nous survolions l'océan ; nous avons heurté un pylone en pleine vitesse, au décollage, atterri avec le train rentré. » Elle ajoute, bravement : « Mais vous voyez, je suis toujours là. Indestructible, non ? »

On pourrait la croire indestructible, il est vrai, à voir la vedette apparaître, fraîche comme une fleur et le sourire étincelant, en haut de l'escalier de coupée chaque fois que l'avion se pose quelque part. Comment se douterait-on, que, tout à l'heure, au lieu de se reposer, Martine, à 6 000 mètres d'altitude, s'est fait masser, coiffer, maquiller, habiller. Au cours de ce tour du monde qui a duré quatre-vingt-deux jours (en tout deux cent soixante heures de vol), elle a changé huit cent trente fois de toilette, restant parfois debout jusqu'à l'atterrissage pour ne pas froisser sa robe. Durant ces quatre-vingt-deux jours, elle a subi l'alternance des fuseaux horaires, elle a quitté l'avion climatisé pour affronter des climats extrêmes (les 50° à l'ombre de Bangkok), salué les foules qui débordaient les cordons de police, écouté des discours, des allocutions, accueilli des personnalités, répondu à des toasts, présenté son film, donné son opinion sur les sujets les plus divers (« A Istanbul, des jeunes filles m'ont interrogée pendant deux heures sur ce que je pensais de l'émancipation des femmes »), assisté à des banquets qui n'en finissaient pas, tout cela accompli avec un visage aussi reposé, une amabilité aussi constante que si elle venait de dormir dix heures d'affilée. D'un jour à l'autre, d'une escale à l'autre, d'un triomphe à l'autre, la langue, le climat, les habitudes alimentaires ont changé. Seule, Martine est restée la même. Uniformément adorable et séduisante.

Enfin, Paris ! Avec une réception — la dernière — à l'aérogare. Bravement, Martine essaie de jouer son rôle jusqu'au bout. Les bras chargés de fleurs, elle dit combien elle est heureuse de rentrer, heureuse de son voyage, heureuse de... Et elle chancelle, vaincue par un irrésistible besoin de sommeil. Elle dormira, en clinique, pendant une semaine.

7

Christian-Jaque

Lorsqu'elle fait la connaissance de Christian-Jaque, Martine a divorcé récemment d'avec Steve Crane. Depuis des années, sa vie sentimentale a été quelque peu animée mais la joie du cœur ne semble pas avoir répondu à ses appels. Après son drame avec Georges Marchal, elle a fui la vie errante que lui proposait John Ringling — il est vrai qu'elle n'avait aucune attirance pour lui — puis a cru que le bonheur était à sa portée en épousant le jeune, beau, riche, élégant Steve Crane... Steve Crane que ses affaires appelaient trop souvent aux Etats-Unis et qui se montrait si indifférent vis-à-vis d'elle quand ils étaient réunis.

Christian-Jaque est marié lorsqu'ils se rencontrent pour la première fois. Par la suite, divorcé, donc libre, il devient pour elle, en dehors de l'amour et de la confiance qu'elle lui voue, le conseiller et le professeur idéal. Son sens très sûr des affaires, son tempérament artistique, permettent à Christian-Jaque de gérer convenablement les intérêts de son épouse-vedette et de la diriger dans sa profession. Il est certain que les années que Martine a passées auprès de Christian-Jaque ont été des années bénies pour elle. Lui seul a réussi à lui donner cet équilibre, cette stabilité qui lui ont fait défaut jusque-là et qu'elle reperdra par la suite, dès qu'ils seront séparés.

Sans conteste, Christian-Jaque est un homme qui plaît aux femmes. Dans les studios, dans les journaux, on l'appelle plaisamment Barbe-Bleue, parce que sa vie conjugale compte autant d'épouses que le célèbre maniaque, à cette différence près qu'aucune d'elles n'a jamais connu les affres du cabinet secret.

« Ma première femme, a confié Christian-Jaque pendant une interview, se nommait Germaine. Nous avions tous deux vingt ans et nous étions étudiants. Ça se passait à la belle époque de Saint-Germain-des-Prés. J'ose dire que nous vivions d'amour et d'eau fraîche... »

Puis, c'est la rencontre avec Simone Renant. Une reine... Belle à miracle, avec une allure, une voix, un style, une classe terribles !

« J'étais l'assistant de Sacha Guitry qui tournait alors *les Perles de la Couronne*. Elle est entrée sur le plateau... »

Ils ont tout, comme on dit, pour être heureux, mais, très vite, le ménage boite. Simone supporte difficilement les absences parfois longues, toujours répétées, de son mari. Elle a beau être « du bâtiment », se raisonner en se disant que la profession de Christian-Jaque l'oblige à voir du pays, à passer des frontières, à séjourner en province, elle prend mal une solitude qui, pour être momentanée, ne lui paraît pas moins pesante.

Lorsque son mari revient de tourner *Carmen* avec Viviane Romance, il trouve l'appartement vide. Simone est partie et une procédure de divorce est entamée. Chagrin d'amour ne durant pas toute la vie, quoiqu'on le prétende, la charmante Renée Faure, sociétaire de la Comédie-Française, prend la place de Simone dans le cœur de Christian-Jaque. « Elle m'a consolé », dit-il et il ajoute, avec un sourire : « J'adore être consolé. »

Mais Renée Faure, à son tour, supporte mal ses fréquents moments de solitude. Comme Simone. Et, comme Simone, elle boucle ses valises et s'envole du nid conjugal. Alors survient Martine... « Etre le mari de Martine, a reconnu Christian-Jaque, c'est quelque chose ! »

***

Avec ses cachets, Martine a acheté, à Magagnoscq, non loin de Grasse, la ferme Saint-Jean. Elle a pris cette décision parce que ses parents y possèdent une maison où ils pensent se retirer, le moment venu. M. Mourer, qui souffre déjà d'une maladie hépatique, a choisi cette région avec l'espoir que la douceur du climat lui sera favorable. Mme Mourer a retrouvé sa petite Maryse et un climat très familial entoure les fiançailles de Christian-Jaque et de la vedette.

Opération singulièrement discrète que ce mariage, lorsqu'on connaît le climat de curiosité qui entoure Martine. « Martine Carol, annonce la presse en quelques lignes, a épousé le metteur en scène Christian-Jaque à Grasse, le 15 juillet 1954, en présence de six personnes seulement : le maire de Grasse, M. et Mme Mourer, les parents de Martine, Mme Maudet, la mère de Christian-Jaque et deux témoins : le Dr Bourgeois et son épouse. » ... Aucun photographe, aucun journaliste, aucun ami. Sur la place de la mairie, les joueurs de pétanque n'ont pas interrompu la partie, rien n'est venu bouleverser la sérénité de la petite ville méridionale.

Cette discrétion est due à Martine elle-même, qui s'est rappelé le scandale traumatisant qui a eu lieu le jour de son mariage avec Steve Crane. La semaine précédente, elle a prévenu le maire de Grasse :

— Je vais me marier chez vous. Si vous vous taisez, si vous ne communiquez la nouvelle à qui que ce soit, je vous donnerai cent mille francs pour les vieillards et les orphelins de la ville.

Le maire a tenu sa langue et le secret a même été si

bien gardé que le futur époux de Martine n'a été prévenu qu'à la dernière minute.

— J'étais à Paris lorsque Martine m'a téléphoné de Magagnoscq. Les formalités étaient terminées et il ne me restait plus qu'à l'épouser, ce qui devait être fait dès le lendemain.

Ce n'est que pendant le dîner qui réunissait la famille et les témoins dans un restaurant de Grasse que Christian-Jaque, jugeant que la loi du silence pouvait être rompue, téléphone à la presse. Elle est déjà au courant. Le maire, estimant de son côté qu'il n'avait plus rien à perdre puisque les fiancés étaient devenus mari et femme, l'a devancé.

En revenant à table, Christian-Jaque a ce mot qui résume la situation : « Ce mariage est la meilleure mise en scène de ma carrière. »

Installation dans le Midi.

La presse spécialisée ne se prive pas de commenter tout ce qui se rapporte désormais à ce couple célèbre. On annonce sa prochaine installation à la ferme Saint-Jean.

— Chaque fois que le cinéma nous laissera un peu de répit, c'est ici que nous vivrons, a déclaré Martine.

« Nous », cela implique avant tout Christian-Jaque et elle-même. Mais, en fait, la ferme habite d'autres occupants, Martine ayant fait aménager des appartements pour M. et Mme Mourer et pour sa belle-mère, Mme Maudet.

La mère de Martine, femme simple, s'étonne de la brillante carrière de sa fille. Interrogée à Saint-Jean, elle confie à un journaliste, en toute innocence :

— Ah ! Le cinéma est vraiment une chose bien curieuse ! Lorsque ma fille a voulu débuter à l'écran, je lui ai dit : « Oh ! non, surtout pas ça... Tu n'en serais pas capable... » Elle ne m'a pas écouté et tout prouve aujourd'hui qu'elle a eu raison. Mais, je suis bien obligée d'avouer, pour être tout à fait sincère, qu'elle a eu et qu'elle a encore — je touche du bois ! — une chance miraculeuse. Des conseils ? Dieu garde de me lui en donner jamais. D'abord parce qu'elle m'enverrait promener, ensuite parce que si elle m'avait obéi, naguère, elle serait encore Maryse Mourer ou bien l'épouse d'un commerçant ou d'un industriel bien tranquille et amoureux de son confort.

En 1954, donc, personne ne doute de la réussite de Martine. Une réussite qui englobe tant sa vie sentimentale que professionnelle. Chacun pense que, avec Christian-Jaque, son cœur a pris le virage. Chacun pense aussi que, toujours avec Christian-Jaque, sa carrière en a fait autant.

Le metteur en scène a décidé qu'il était temps, pour Martine, d'aborder de nouveaux rôles, un nouveau type de personnage, genre comédie américaine d'avant-guerre. L'héroïne, par exemple, est mêlée à des aventures policières héroï-comiques où la sagacité triomphe des pièges qui lui sont destinée ou, encore, elle est aux prises avec des démêlés conjugaux ou familiaux de haute fantaisie, pleins d'humour et de gaieté. Qui pourrait imaginer, à cet instant, que cette décision apportera tant de malheur à Martine !

Le scénario que s'apprête à tourner Christian-Jaque est intitulé *Nathalie*. L'action se déroule dans une maison de couture. Martine Carol (Nathalie) joue le rôle d'un mannequin vedette. Le jour de la présentation des modèles de printemps (ou d'automne), un clips d'une énorme valeur est dérobé à une cliente et Nathalie, en qui sommeille une vocation de détective amateur, décide de mener l'enquête à sa manière. Une manière qui ne facilite pas les recherches entreprises car elle embrouille tout et crée de multiples complications et quiproquos.

Pour les acteurs qui font partie de la distribution, la présence de Martine crée un climat particulier. Michel Piccoli écrira, beaucoup plus tard, dans son livre de souvenirs *Dialogues égoïstes* [1] :

---

(1). "Dialogues égoïstes", (Éditions Olivier ORBAN).

« Ma première expérience d'un cinéma vraiment commercial fut *Nathalie,* de Christian-Jaque, qui me donna la chance, la formidable chance, pour l'apprenti que j'étais, de tourner avec Martine Carol. Elle était, à cette époque-là, la star des stars, une présence immuable à la une de la presse spécialisée. »

En tant que vedette, Martine est là pour assurer le succès du film. Malheureusement, un événement (tragique pour elle) a lieu, que Piccoli raconte en quelques lignes : « Dans une scène, j'avais à faire une prise de judo à Martine Carol. Tout se serait bien passé si la star n'était pas retombée très lourdement, en se faisant très mal à la colonne vertébrale... »

C'est le moins qu'on puisse dire car cet accident, ramené aux proportions d'un simple incident de parcours, annonce le déclin de Martine.

Pourtant, à l'époque où elle commence à tourner dans *Nathalie,* Martine Carol a la forme olympique. Après la cure de repos imposée par le tour du monde qu'elle a accompli avec Christian-Jaque, elle a encore passé quelques semaines à l'Alpe d'Huez pour se remettre complètement de sa fatigue. La vie d'actrice n'est pas facile, elle comporte de curieux impératifs. L'écran ne se contente pas de proposer, il oblige, il exige.

« A peine un film est-il terminé qu'il faut se préparer pour le suivant et on n'a guère que deux ou trois semaines pour cela, dit Martine. Il ne s'agit pas seulement, parfois, de s'assimiler un scénario, d'apprendre ses répliques et de se mettre dans la peau d'un personnage. Pour tourner *Lola Montès,* j'ai du m'exercer au trapèze volant, pour *Nathalie* il a fallu que j'apprenne le judo. Quand je dis apprendre, c'est une façon de parler. En un mois de préparation, le spécialiste avec lequel j'ai pris des leçons, Jean Gillet, n'a pu m'enseigner que quelques prises élémentaires... Juste de quoi ne pas avoir l'air d'une idiote. »

Disons tout de suite que Martine ne joue, à ce propos, ni

les martyres, ni les blasées. Elle reconnaît un fait, c'est tout. Disons aussi que, si elle s'est mise — sommairement — au judo, c'est parce qu'elle a refusé, comme le voulait Christian-Jaque, d'être doublée par une véritable judoka.

On tourne aux studios du Point-du-Jour. L'ambiance est idéale. Christian-Jaque, brillamment inspiré, multiplie les trouvailles de mise en scène. Henri Jeanson, chargé des dialogues, les a improvisés sur un coin de table. Et, de son côté, le chef opérateur Matras jure que Martine, qui vient d'être plébiscitée « la vedette la plus populaire de l'année », n'a jamais été aussi belle.

Jean Gillet est sur le plateau le jour où Martine doit faire montre de ses nouvelles connaissances en arts martiaux. Mais l'accident survient, inévitable. Martine s'est mal reçue au sol. Elle pousse un cri de douleur déchirant et tente en vain de se lever. « Ne bougez surtout pas, crie Jean Gillet, laissez-moi faire. » Il se met derrière elle, saisit la tête de la vedette entre ses mains, lui imprime une secousse calculée, destinée à replacer les vertèbres. Il a agi rapidement, sûrement, mais la douleur reste très vive. Ambulance. Hôpital.

— Qui s'est mêlé de « tripoter » cette colonne vertébrale ? commence par hurler, furieux, le médecin.

Mais les radios prouvent que les vertèbres ont bel et bien été remises en place. Il n'en est pas moins vrai que le mal reste complexe. Le muscle a été arraché des ligaments qui le fixent à l'omoplate. Les vertèbres ont souffert. Martine, transportée en clinique, est immobilisée dans un de ces carcans de plâtre qu'on appelle une *coquille*. Avec ses visiteurs, elle trouve le moyen de plaisanter : « Je ressemble à présent à Erich von Stroheim, dit-elle, vous savez, dans le film où il est prisonnier d'un plâtre ? »

En réalité, elle endure le martyre. Sans répit. Seules, des injections de morphine la calment. Les autres analgésiques ne lui apportent aucun soulagement.

Elle demeure vingt-neuf jours dans sa coquille. Ensuite,

elle est allongée sur une planche pendant trois mois, sans autre distraction que de regarder la télévision ou d'écouter la radio. Vient ensuite la rééducation. Tous ceux qui ont connu cet autre genre de supplice savent combien il est pénible et douloureux de remettre en état de marche un corps qui préférerait, et de beaucoup, s'engourdir dans l'immobilité.

Martine affronte l'épreuve avec courage. Mais il lui faut vaincre aussi un autre mal, plus insidieux, plus terrible encore : l'accoutumance à la morphine. Le dangereux calmant a pris possession de son organisme épuisé par un travail forcené, une constante tension nerveuse et, il faut bien le reconnaître, par la fâcheuse habitude qu'a prise Martine de se remonter au whisky.

Un matin, enfin, Martine reprend sa place devant la caméra. Ce jour-là, c'est fête au studio. Il n'y a que douze jours qu'elle a achevé sa rééducation. Douze jours de vraie convalescence, ce n'est pas suffisant. Les médecins protestent, lèvent les bras au ciel, lui prédisent les pires calamités. Le plus terrible est qu'ils ont raison, mais le film doit être terminé à la date prévue. L'acteur malade ou accidenté n'a jamais le choix. A lui ou non de tenir le choc.

Les visiteurs qui viennent au studio pour assister au tournage, pour voir, surtout et avant tout, « si c'était vraiment aussi grave qu'on l'a dit », s'en retournent déçus ou satisfaits, selon la bonté de leur cœur. Martine ne semble pas se ressentir de son accident.

— Quand même, s'enquièrent quelques-uns, vous avez dû beaucoup souffrir.

— Atrocement.

— Et vous avez quand même recommencé à travailler !

— Il le faut bien.

Martine répond cela sans résignation cachée, avec l'éclatant sourire qui lui a valu le « Prix Orange », ce prix décerné par les journalistes aux artistes les plus coopératifs.

Pour parachever sa rééducation, elle nage trois heures par jour. Autant dire qu'elle n'a guère le temps de flâner. A un journaliste qui lui demande ce qu'elle pense de la mode d'automne, elle répond, avec un haussement d'épaules :

— Si vous croyez que j'ai le temps d'assister à une collection !

Elle ne cache pas qu'elle est extrêmement lasse, qu'elle ne parvient pas non plus à se dégager des mauvais souvenirs de la clinique :

— Quand j'étais immobilisée, j'ai souvent désespéré de m'en sortir. Les muscles, quand ils sont déchirés, détachés des os, c'est infiniment douloureux et très long à guérir. L'impression qu'on n'en finira jamais, je sais ce que c'est. Puis, un jour, j'ai fait la connaissance, dans la clinique même, d'un jeune homme terriblement infirme, auquel il ne restait aucun espoir de redevenir comme avant. Il avait dépassé son drame, il était parvenu à une acceptation de son sort, il avait fait sienne une sorte de philosophie et la vie lui paraissait encore digne d'être vécue. J'en ai été très frappée. Quand je me sens glisser vers la « déprime », je pense à lui et je me secoue. J'aurais pu, moi aussi, rester infirme.

Martine annonce encore qu'elle va partir, dès que *Nathalie* sera terminé, pour Tahiti, où elle jouera dans *le Passager clandestin*.

— Et Christian-Jaque ?

— Il reste en Europe. Il met en chantier un long métrage avec Fernandel.

Arletty qui faisait partie de la distribution du *Passager clandestin* se souvient de Martine, à cette époque :

— Martine Carol ? On sentait quelque chose de dramatique en elle. Oui, elle était sympathique, je la connaissais de Belle-Ile, puisqu'elle était dans *la Fleur de l'âge...* C'était une fille qui portait en elle une marque, c'était une fille insatisfaite. »

Cependant, ce départ est retardé. Vidée de toutes ses forces, exténuée physiquement et nerveusement, Martine frôle la dépression. La vraie. Une cure de sommeil se révèle indispensable et de ce traitement de choc, Martine, ensuite, ne dira pas grand bien.

— Vous comprenez, on vous fait dormir jour et nuit, en dehors des quelques heures nécessaires pour vous alimenter. Ce n'est évidemment pas normal. La cure terminée, vous ne dormez plus parce que vous avez trop dormi et ce manque de sommeil vous rend nerveux, irritable, incapable de fournir tout effort réel. C'est un cercle infernal parce que, lorsque vous en avez assez de tourner en rond, la nuit, dans votre chambre, vous prenez des somnifères... On n'en sort plus.

« A la fin du tournage de *Nathalie,* j'étais à bout de forces. Il faut dire que, à cette époque, je n'arrêtais pas, les films se succédaient les uns aux autres à une cadence accélérée. J'étais une vedette, je voulais le rester. Mon entourage le voulait aussi et on me poussait à en faire chaque jour davantage. En rentrant à la maison, je n'en pouvais plus et je me sentais souvent de mauvaise humeur. Pour me remettre en train, je buvais vite fait un verre de whisky. Tout de suite, j'allais mieux. La vie reprenait de la couleur, je redevenais euphorique, vivante, drôle. Vous savez, les hommes n'aiment pas les femmes qui leur offrent une tête sinistre et qui se traînent d'un fauteuil à l'autre. Ils leur reprochent de faire la tête et ils s'en vont se distraire ailleurs. »

Pourtant, Martine sait qu'elle supporte très mal l'alcool. Rapidement, elle perd la notion de la réalité comme elle l'a elle-même avoué :

— Au troisième verre, je suis ivre. Et quand je suis ivre, je ne sais plus où j'en suis et je fais tout ce qu'on me demande. Mon entourage ne s'est pas privé d'en profiter largement. On m'a fait signer des contrats avantageux pour chacun, sauf pour moi, des procurations, des chèques en blanc. Si bien que, quoique gagnant des millions et des millions, j'ai toujours été fauchée.

René Lamar, qui fut l'assistant d'Alberto Cavalcanti, m'a longuement parlé de Martine, pendant le tournage des *Noces vénitiennes.*

Cavalcanti désire Micheline Presle pour le principal rôle, mais ce sera finalement Martine Carol qui signera le contrat ; puis Vittorio de Sica et Claudia Cardinale qui était engagée pour son troisième film.

Les premiers contacts de Cavalcanti avec Martine Carol sont bons. Elle est sympathique, souriante, charmante. Cavalcanti est courtois mais contrarié. Est-ce une appréhension ?

Contrarié, il l'est encore davantage quand il apprend qu'il ne peut pas avoir Daniel Gélin. Il demande alors Maurice Ronet mais Maurice Ronet a déjà signé pour un autre film.

Et les difficultés continuent. Elles continueront d'ailleurs jusqu'à la fin du tournage et même au-delà.

Il y a des problèmes avec les dialogues.

Martine Carol refuse les robes qui ont été prévues pour elle. Elle en veut d'autres, plus collantes. Rien à faire pour la raisonner. Elle veut sa couturière. Elle veut des robes qui lui collent à la peau. Aussi apparaît-elle le plus souvent, dans ce film, affreusement boudinée. A chaque fois qu'elle mettait une de ses robes, cela faisait dire à Cavalcanti : « Comment peut-elle avoir aussi mauvais goût ! »

C'est à partir de ce problème vestimentaire que Cavalcanti a, je crois, perdu confiance en elle et l'a redoutée.

Ce film part d'un mauvais pied. Cavalcanti ne dort plus et mange peu. Il ne se trouve pas dans l'ambiance qu'il aime. Mais impossible de faire marche arrière. Il faut continuer.

La distribution se complète par Jacques Sernas, Marthe Mercadier, Martita Hunt, Philippe Nicaud.

Tout le monde part pour Venise.

Ce qui aurait dû être une fête ne l'est pas.

A Venise le film se tourne avec, toujours, des problèmes et des difficultés.

Martine Carol traverse une période dépressive. Elle donne l'impression d'être en état d'ébriété mais est-ce l'alcool ou les tranquillisants, je ne saurais le dire. Elle n'est jamais sur le plateau quand il faut tourner. Il faut l'appeler plusieurs fois. Elle se fait attendre.

Un jour, Cavalcanti excédé se précipite dans sa loge. Il frappe et sans réponse pousse la porte et entre. Martine Carol, étendue sur un sofa, se frictionne les seins avec des morceaux de glace. Il la croit malade et demande : « Mais qu'avez-vous, Martine ? » et Martine de répondre : « C'est pour avoir la poitrine dure et ferme. » Cavalcanti est alors désarmé, mais sa colère l'étouffe. Il lui dit cependant : « On vous attend ! » Et l'attente est longue.

Heureusement Vittorio de Sica est là. Il calme. Il rassure. Les autres acteurs patientent aussi. Marthe Mercadier apporte un peu de gaieté. Jacques Sernas et Claudia Cardinale restent doux et discrets.

Une nuit, alors qu'il dort, Cavalcanti est appelé à son hôtel. C'est la police qui lui demande de se rendre au plus tôt, dans ses bureaux, afin de reconnaître une jeune femme qui dit s'appeler Martine Carol. Pensant au tournage dans quelques heures, en hâte, il s'habille et se fait conduire au commissariat. Là, il se trouve face à face avec Martine Carol, hébétée. La police italienne l'avait interpellée, puis arrêtée en pleine nuit alors qu'elle se faisait photographier par des paparazzi à demi nue. Elle n'avait aucun papier sur elle.

Tout cela faisait dire à Cavalcanti : « Notre film devrait s'appeler *l'Enfer !* »

Ironie du sort, le film suivant que tourna Martine Carol, sous la direction de Robert Aldrich, avec Jeff Chandler comme partenaire, s'est appelé *Tout près de Satan*. Ce fut, paraît-il, un autre enfer.

Parfois, Martine Carol était émouvante, attendrissante même. Elle donnait l'impression d'être désemparée, perdue.

Mais Cavalcanti qui jouait, avec ce film, une carte importante — c'était son retour en France, après de nombreuses années passées en Angleterre et au Brésil —, ne lui pardonna jamais.

Il considère *les Noces vénitiennes* comme son plus mauvais film, et dit de Martine Carol : « C'est la plus stupide actrice que la terre ait portée... »

8

Tahiti

C'est le metteur en scène Ralph Habib qui a été chargé de tourner *le Passager clandestin,* un roman de Georges Simenon. La réalisation aura lieu à Tahiti. La troublante vahiné blonde, héroïne de l'aventure, sera merveilleusement incarnée par Martine Carol, pense la production.

Tahiti, apprenons-nous à l'école, est l'île principale de la Polynésie française. Une île fidèle à la Métropole. A lire sa production économique — coprah, pêche et tourisme —, on croit facilement que ce n'est pas la pollution qui doit en être le principal fléau.

Martine est folle de joie. « Je suis si heureuse, confie-t-elle à la cohorte d'amis et de journalistes venus l'accompagner à Orly, je suis si heureuse que je n'ai même pas peur de prendre l'avion. Mais je reviendrai en paquebot. Ce seront de vraies vacances. »

Dès la réception de ses premières lettres, ses familiers sont rassurés. Là-bas, elle est heureuse, elle a découvert le paradis. Elle habite, à l'exemple des indigènes, une grande case très fraîche, sans fenêtres. En face, une immense plage de sable blanc. Au large, le soleil fait briller un atoll de corail. Chaque jour, Martine embarque sportivement dans sa pirogue et pagaye jusqu'à l'atoll. Elle nage, elle se dore au soleil, s'habille comme les indigènes, prend part à leurs danses. Elle se laisse envoûter par ce pays où l'art du « rien faire » est une vertu. Que celui qui n'a jamais rêvé de Tahiti et de ses mirages jette la première pierre à Martine !

A son retour, un peu plus tard, elle déclare que ce film, *le Passager clandestin,* a constitué un événement capital dans sa vie, encore qu'elle ajoute : « Je ne parle pas du rôle, certainement non, car il ne s'agissait là que d'une production strictement commerciale, mais en tant que découverte. »

Ce premier voyage à Tahiti est en effet un « événement capital », tombé dans sa vie comme une météorite et c'est sans doute pour cela qu'elle le considère comme un cadeau du ciel. Plus tard, elle sera forcée d'admettre qu'un événement, aussi capital qu'il paraisse, n'entraîne pas forcément dans son sillage la joie, le bonheur, la sérénité. Ce départ pour la Polynésie, cette incursion dans ces lieux bénis ont été la clef de voûte du déséquilibre qui a conduit, pas à pas, la vedette vers la mort.

Martine a déjà beaucoup voyagé. Mais les îles exercent sur elle une étrange fascination. On pense au Marius de Marcel Pagnol disant, nostalgique, avec la voix de Pierre Fresnay : « Ah ! les îles... Les îles Sous-le-Vent... Quand j'y songe, je sens comme une corde qui me tire... »

— C'est simple, a expliqué Martine. Partie pour trois mois avec le film, je suis restée là-bas six mois et si je l'avais pu, jamais je n'aurais quitté Tahiti. Arrivée dans le trente-sixième dessous, au dernier degré de la fatigue et de la dépression, j'ai cru que le ciel s'ouvrait devant moi.

Les psychologues expliquent ces coups de foudre pour un pays, une contrée, un lieu, un climat, par le fait que nous les découvrons au moment où nous en avons absolument besoin. Il nous reste ensuite, imprimée au plus profond de notre être, une fringale viscérale de ce pays, de cette contrée, de ce lieu, de ce climat. Notre corps, nos instincts, qui en savent bien plus long que notre cerveau et notre logique, sont capables de nous indiquer la voie qui nous est bonne et profitable.

Martine, qui a eu bien du mal à remonter la pente après son accident, qui a, courageusement, achevé de se mettre sur le flanc en reprenant le tournage de *Nathalie* a découvert, en débarquant à Tahiti, la lumière, l'oxygène, la chaleur qui lui manquaient cruellement. Ainsi s'explique l'amour qu'elle voue, dès le premier regard, à l'île enchantée.

— Tahiti, c'est merveilleux, dit-elle à son retour aux journalistes venus l'interroger sur son état de santé et ses projets. Tenez, par exemple, vous avez des récifs de coraux qui, lorsque vous les découvrez, vous donnent un choc plus grand qu'une vitrine de Van Cleef et vous vous dites : « Le Bon Dieu, quel joaillier, tout de même ! »

Elle dépeint avec passion chaque détail, chaque paysage, elle en décrit l'enchantement. Et puis, elle parle aussi des indigènes qu'elle a trouvés si gentils, si joyeux, si désintéressés.

— Vous n'avez pas besoin de cadenasser vos portes. Là-bas, il ne se passe rien. A Tahiti, on n'est ni mesquin ni malhonnête, et on n'a pas de soucis. On chante en s'accompagnant à l'ukulele et on ignore la radio et la télévision. On reçoit peu de courrier et on lit à peine les journaux : on n'en a pas envie. On vit pieds nus, en paréo et collier de fleurs.

Malheureusement, tout a une fin. Le jour arrive où Martine est obligée de prendre le chemin du retour. Elle emplit ses valises de coquillages-fleurs et revient à Paris où l'attendent les talons aiguilles, les séances chez le coiffeur et le couturier, tout, enfin, ce qui la transforme en vedette adulée. Un teint de fleur, une chevelure souple et brillante, de beaux ongles longs et brillants coïncident difficilement avec une existence naturiste.

Elle ignore encore, à ce moment-là, que Tahiti est une

sorte de drogue, une île dont le souvenir trouble profondément ceux qui en sont brutalement privés. Physiquement, Martine en revient apparemment remise à neuf, si l'on ose dire, mais, elle est en « état de manque », comme s'expriment les intoxiqués. On dit d'elle qu'elle a la nostalgie de « son » île. Ce n'est pas tout à fait cela. Cette nostalgie va plus loin, plus profondément que le regret d'avoir quitté une terre au climat enchanteur, où tout semble si facile. Elle ne parle que de Tahiti et ne veut entendre parler que de Tahiti. Elle fait tourner sans cesse, sur son électrophone, des disques rapportés de là-bas. Elle téléphone à Christian-Jaque, occupé à réaliser dans les montagnes de Toscane un film comique : *La loi est la loi* avec Fernandel et l'acteur italien Toto.

— Imagine donc une suite à *Nathalie,* dit-elle. Ce serait *Nathalie à Tahiti.*

Mais on dit aussi — on chuchote, plutôt, en procédant par allusions voilées — qu'il y a dans cet éden tahitien, un jeune médecin, un certain Jean-Pierre, avec lequel Martine aurait noué des liens d'amitié.

Ainsi vont les jours. Martine continue d'offrir au public l'image de la star brillante et radieuse. Elle nage dans le bonheur parfait, vit entourée d'un luxe de bon aloi, garde dans sa mémoire le souvenir que toute touriste rapporte d'une croisière sans problèmes et jouit d'une santé sans problèmes.

Ce n'est pas tout à fait la vérité. Martine, les bagages rangés, les journalistes satisfaits, le cours de sa vie redevenu classiquement émaillé de mises en plis, d'essayages, de soirées, de cocktails, d'interviews, Martine découvre tout à coup qu'elle est seule. Mariée, mais seule. Pourtant, il ne manque rien, semble-t-il, à son bonheur. Son mari, le gai, l'intelligent, le prévenant, le subtil Christian-Jaque, ne cherche qu'à lui plaire et à la mettre en valeur. A condition d'être auprès d'elle, cela va de soi. Ce qui n'arrive pas souvent. Il n'est pas un homme au monde, s'est-il étonné un jour, qui ait jamais donné à une femme, même très aimée, aussi peu de présence effective que lui ! Un mari-fantôme, c'est ce qu'ont connu Simone Renant, Renée Faure et Germaine. Le tour de Martine est venu d'en souffrir. Mais que peuvent deux époux quand ceux-ci sont embarqués sur la même galère ? Quand ce sacré métier les entraîne, au hasard des contrats, l'un et l'autre sur des routes divergentes ? Quand Martine tourne en Espagne, Christian-Jaque travaille à Paris. Martine revient à Paris, Christian-Jaque est en mer du Nord, à bord d'un vieux rafiot. Il descend à la ferme Saint-Jean où, en principe, l'attend Martine. Pas de chance, elle s'est envolée précipitamment pour Londres, où on l'attend.

Jeff Chandler.

Miracle ! Christian-Jaque et Martine sont ensemble à Tahiti, où la vedette a réussi à emmener son mari, lorsque le réalisateur américain Robert Aldrich la convoque à Berlin pour tourner un film au titre prometteur de sensations fortes : *Tout près de Satan.* Il est vrai que Bob Aldrich se complaît dans la violence. Ses films s'intitulent *Attaques, le Grand Couteau, Vera Cruz,* etc.

Le rôle proposé à Martine est intéressant. Pas gai, mais intéressant quand même. C'est celui d'une jeune femme que le désespoir risque d'acculer aux pires extrémités. Bien que navrée d'avoir eu à quitter son île si chère, Martine accepte, car l'histoire la passionne. De plus, elle admire beaucoup Aldrich et elle aura la joie d'avoir pour partenaires des célébrités de l'écran telles que Jeff Chandler et Jack Palance. Et puis... et puis, même s'il fait froid et gris à Berlin, même si elle doit quitter Tahiti, sa mer étincelante et son soleil brillant, une actrice ne refuse pas de travailler sous la direction d'un des plus grands metteurs en scène du cinéma américain.

Quelques jours après le tournage, Aldrich réunit les journalistes au cours d'une conférence de presse pour leur parler de son film et de ses projets. Il leur présente ses interprètes par la même occasion. La réunion se poursuit dans une ambiance détendue et amicale lorsqu'un pli porté par un chasseur de l'hôtel où sont descendus les acteurs et les techniciens du film, est remis à Martine. C'est une mauvaise nouvelle : Jean-Pierre est mort au cours d'une plongée sous-marine. Il est descendu à une trop grande profondeur et ses poumons ont éclaté. Aussitôt, un malaise envahit Martine qui sent le sol se dérober sous elle. Elle s'écroulerait si un bras solide, venant à son secours, ne lui entourait la taille. C'est celui de Jeff Chandler, qui s'est aperçu de son émotion soudaine et a compris qu'elle était au bord de l'évanouissement. Martine se redresse, aspire profondément une grande bouffée d'air et remercie Jeff d'un pauvre sourire. Elle ne se donnera pas en spectacle. Jeff saisit discrètement sa main, la presse dans la sienne et l'oblige ainsi à garder son sang-froid, à rester maîtresse d'elle-même. Elle réussit même, d'une voix posée, à répondre aux questions. La conférence de presse terminée, elle court jusqu'à sa chambre et s'y enferme pour donner libre cours à son chagrin tandis que Jeff Chandler apprend à Aldrich et aux autres acteurs le coup dur qui vient de frapper la jeune vedette.

Aldrich n'est pas tranquille. Il craint que Martine, tout à sa peine, ne fasse, comme il dit, « un caprice », autrement dit qu'elle refuse, au moins momentanément, de tourner. Ce serait une catastrophe. Comme il tient à s'assurer que Martine sera, malgré tout, le lendemain matin sur le plateau, il charge Jeff Chandler d'aller aux nouvelles et d'entamer, s'il y a lieu, les négociations. Jeff accepte. Depuis huit jours, Martine et lui travaillent ensemble et ils sont devenus d'excellents camarades.

Martine occupe la chambre 328. Jeff frappe à la porte. Enfoncée dans son chagrin, Martine, qui pleure à gros sanglots, ne répond pas. Jeff l'exhorte à travers le battant. Il a une très belle voix, à la fois grave et douce. Il sait les mots qu'il faut dire. Il la supplie d'ouvrir la porte, de le recevoir. Il ne désire qu'une chose : la consoler, lui prouver qu'elle a au moins un ami qui la comprend... Il ne peut supporter de la voir malheureuse... Mais la vie est là qui continue... Elle ne doit pas faillir à sa tâche...

Il faut croire que Jeff est persuasif car, le soir même, il emmène Martine dîner dans un restaurant chinois situé près du Kufurstendam. Et, à un moment, Martine éclate de rire parce que, ne sachant pas se servir de baguettes pour manger, elle a projeté du riz jusque sur la cravate de Jeff.

Le lendemain, ils se retrouvent dans l'ascenseur. Peut-être pas tout à fait par hasard. Jeff n'est pas, certainement, étranger à la manœuvre, mais Martine n'en a l'air nullement fâché. Au lieu de monter séparément dans la voiture qui a été mise par la production à la disposition de chaque comédien, Jeff renvoie la Mercedes de Martine. Il fait monter la jeune femme dans la sienne et ils se rendent ensemble au studio. Il fera de même le lendemain et les jours suivants sans que Martine refuse de l'accompagner. Elle se sent attirée par Jeff qui emplit sa chambre de fleurs, se montre attentif à ses moindres désirs et, surtout, qui est toujours là, toujours prêt à accourir dès qu'elle souhaite sa présence. C'est merveilleux.

Un jour, Jeff sort de sa réserve. Il avoue à Martine qu'il est amoureux d'elle. Ce n'est pas une surprise pour elle, ni pour les autres, d'ailleurs. L'attrait que les deux acteurs éprouvent l'un pour l'autre se voient à l'œil nu. Mais l'idylle ne saurait aboutir à un mariage, au moins dans un proche avenir. Jeff Chandler est marié. De plus, il est père de deux filles. Mais il vient de se séparer de sa femme après treize ans de vie commune. Le divorce est en cours et il n'est pas, selon Jeff, de réconciliation possible. En principe, il est donc déjà libre. Il n'en est pas de même en ce qui concerne Martine. Est-il utile de préciser qu'elle est toujours Mme Maudet pour l'état civil et Mme Christian-Jaque pour les milieux cinématographiques ? De plus, elle ne songe pas — du moins pour l'instant — à quitter son mari. Bien que Jeff lui propose de l'épouser dès que les formalités officielles seront prononcées de part et d'autre, elle refuse et, à ce propos, adopte une attitude singulièrement sage, très dame patronesse :

— Non, dit-elle à Jeff, vous ne devez pas divorcer, vous avez des enfants.

Néanmoins, pendant les quatre mois que dure le tournage de *Tout près de Satan,* Jeff et Martine ne se quittent guère. Enfin, le jour de la séparation arrive. Martine quitte Berlin. Jeff Chandler l'accompagne jusqu'à l'aérogare. Devant les photographes, il n'ose pas l'embrasser, la prendre dans ses bras. Il dépose seulement un baiser sur la main qu'elle lui tend. Le sourire de Martine ressemble plutôt à une grimace. Elle se retient de pleurer. Ce n'est qu'en plein ciel qu'elle donnera libre cours à ses larmes. Une fois de plus...

Un été se passe — un été qu'elle passera avec sa mère à la Martinique, comme nous le verrons plus loin. A son retour, elle revoit Jeff à Paris, chez elle. C'est le 30 décembre 1958. Une dernière fois, il lui demande de l'épouser. Pour la dernière fois aussi, elle lui répond « non », continuant de mettre en avant la femme et les deux enfants de l'acteur. Elle raconte ainsi leur dernière entrevue et on ne peut s'empêcher de penser que ce rôle de sacrifiée a dû beaucoup lui plaire :

— En me quittant, sur le pas de la porte, il s'est retourné et m'a dit :

« — Alors, c'est définitif, vous ne voulez pas m'épouser ? »

« J'ai regardé ses yeux verts qui m'avaient tant fait rêver et j'ai répondu :

« — C'est définitif. »

« Je venais, poursuit-elle, de mettre fin à un grand amour, mais un amour impossible. Jeff était marié et il avait deux enfants. Je ne voulais pas briser sa vie et celle des trois autres personnes qui avaient le droit de compter sur lui. J'ai préféré briser mon bonheur.

Le plus triste est que Jeff ne se réconciliera jamais avec sa femme. Dès son retour aux Etats-Unis, il tombe sous le charme d'Esther Williams, la belle vedette du film *le Bal des Sirènes*. Quelques mois plus tard, il succombait à une septicémie. Le chagrin de Martine fut aussi sincère que profond.

— Je l'aurais rendu heureux, dit-elle, et j'aurais été heureuse avec lui, j'en suis sûre.

Mais n'est-ce pas ce que l'on dit et pense toujours lorsqu'un amour se brise avant que la lassitude du quotidien ne le fasse éclater en morceaux impossibles à recoller ?

9

Tout est fini avec Christian-Jaque

Revenons un peu sur le tournage de *Tout près de Satan,* sur le séjour de Martine à Berlin.

Il y a sa romance avec Jeff Chandler, sa satisfaction de travailler sous la direction du prestigieux réalisateur Bob Aldrich, de jouer un rôle intéressant. Dans l'ensemble une somme de joies non négligeables. Mais... Il y a quand même un mais... Ces mois passés en Allemagne n'ont pas été aussi heureux qu'on se plairait à le croire. N'oublions pas que Martine a repris trop tôt son travail pour achever *Nathalie* dans les temps voulus. Son dos est loin d'être guéri, si tant est qu'on puisse guérir d'un traumatisme qui atteint autant le physique que le mental et les nerfs. Il est des moments où Martine souffre sourdement, des moments aussi où la souffrance s'exprime de façon si insoutenable qu'elle réclame une piqûre à grands cris. Il lui arrive fréquemment d'oublier, comme les médecins le lui ont recommandé expressément, de dormir dans son corset de plâtre, de s'accroupir au lieu de se « casser en deux », pour ramasser quelque chose à terre ou soulever un objet pesant. Si elle passe outre, une douleur, flamme fulgurante, lui traverse l'échine, si torturante que seules des injections de morphine ou de novocaïne la soulagent.

De la morphine ? Oui, nous y voilà ! Elle en a emporté quatre ampoules dans ses bagages quand elle est partie pour Tahiti avec Christian-Jaque. « La douleur peut réapparaître d'une seconde à l'autre » s'est-elle dit pour se trouver quelque excuse. Etrange coïncidence : elle souffre à quatre reprises pendant son court séjour en Polynésie.

— Je n'en ai parlé à personne, dit Martine. Je ne voulais pas qu'on s'occupe de moi, surtout pas qu'on me plaigne...

A Berlin, Aldrich tourne les extérieurs de *Tout près de Satan*. Peu avant la fin du tournage, Martine joue avec Jack Palance, une séquence où elle doit saisir son fils, âgé de deux ans, dans ses bras et le porter au-delà du quartier sur lequel tombe une pluie de bombes. Elle se penche, saisit l'enfant, le soulève dans ses bras. Immédiatement, une douleur aussi atroce que celle qui l'a terrassée lors de la prise de judo dans *Nathalie* la traverse. Une fois de plus, ses vertèbres sont déplacées. Une fois de plus, le muscle de l'épaule a été arraché. Martine s'évanouit. Pour achever le film, il lui faut, chaque jour, deux piqûres de novocaïne et deux piqûres de morphine.

Quand elle est de retour à Paris, le 15 avril, Christian-Jaque est encore à Florence, où il achève *La loi est la loi.* Martine, alors complètement intoxiquée, est tantôt dans un état de surexcitation aiguë, tantôt dans un état d'hébétude semi-comateux. Elle n'attend qu'une chose : le moment de la piqûre qu'elle a appris à se faire elle-même. Bientôt, aucun médecin ne veut plus lui signer l'ordonnance contre laquelle le pharmacien lui délivrera la drogue que son organisme réclame impérieusement. « En manque », elle est saisie d'une crise tellement violente que sa belle-mère, Mme Maudet, qui s'est installée rue de l'Assomption pendant son absence, ainsi que Laurence, la secrétaire de Christian-Jaque, font appel à Police secours. C'est dans une « maison de santé » spécialisée que Martine refait surface quelques jours plus tard. Elle constate qu'elle est attachée sur son lit.

Elle quitte la clinique ou, plus exactement, s'en échappe, retourne rue de l'Assomption et fait sa valise sous les yeux de Mme Maudet et de Laurence qui ne font pas un geste pour la retenir. Elle s'en va à Magagnosq, non sans avoir, comme d'habitude, alerté la presse.

Ses déclarations multiples, montées en épingle par les journalistes, ne sont pas le reflet de la vérité. Elles rapportent que Martine est une femme heureuse, une vedette comblée qui ne sait plus où donner de la tête tant elle a de projets. D'abord un film à Venise, ensuite un autre à Hong-Kong.

Au milieu de ce cantique d'actions de grâces où la joie de vivre est célébrée à tout instant, une note discordante :

— J'ai tout ce qu'on peut désirer sur terre : l'argent, la célébrité, l'amour... Oui, j'ai tout. Sauf un enfant. Je ne peux en avoir moi-même mais je voudrais en adopter. Regardez ce qu'a fait Joséphine Baker aux Milandes. Moi aussi, j'ai un beau et vaste domaine, je les élèverais, ces enfants, à la ferme Saint-Jean et ils seraient heureux, je vous assure.

Lorsque l'insurrection de Budapest est terminée, en 1956, elle demande l'autorisation d'adopter un orphelin hongrois. La Croix-Rouge ne demande pas mieux mais les lois françaises s'y opposent. Martine Carol est légalement mariée à Christian-Jaque. Tous deux ont suffisamment de ressources pour assurer à un enfant tout ce dont il a besoin, mais Martine est encore trop jeune. Elle n'a pas atteint les quarante ans requis.

Ce besoin de maternité, Martine est restée de longues années sans en parler. Pendant longtemps, quand on lui demandait :

— Pensez-vous avoir un jour des enfants ?

Elle répondait, désinvolte :

— Avec le métier que j'ai, où prendrais-je le temps de m'en occuper ?

Les années ont passé. Elle est une vedette célèbre. Elle avoue :

— On a insinué que j'enviais Gina Lollobrigida, on a dit que j'étais jalouse de Grace Kelly. Oui, et vous êtes autorisé à l'écrire en toutes lettres, c'est vrai. Gina est pourtant mon amie, vous le savez et j'ai passé plusieurs jours chez elle, il n'y a pas encore si longtemps. Grace Kelly, je ne la connais pas et je trouve qu'elle a une chance incroyable. Mais, chez Gina, ce n'est pas son talent, sa beauté et son succès que j'envie. Ce n'est pas non plus son titre et son palais que je jalouse chez Grace de Monaco. Si vous voulez savoir pourquoi je les jalouse toutes deux, c'est à cause de leurs enfants !

*
* *

Encore une « virée » à Tahiti, avec Christian-Jaque et le Tout-Cinéma mondial dont Henri-Georges Clouzot et Marlon Brando, qui se sent lui aussi très tahitien.

Et c'est le retour à Paris où Elvire Popesco la convoque pour lui demander d'interpréter un rôle dans la comédie musicale qu'elle s'apprête à monter au théâtre de Paris : *Comment faire des affaires sans se fatiguer ?* Avant de regagner la France, Martine passe par Los Angeles où elle rencontre Steve Scrane, et va s'incliner sur la tombe de Marilyn Monroe.

Ses hommes d'affaires et ses amis l'attendent avec impatience. Ils espèrent que le rôle proposé par Elvire Popesco va la remettre au premier plan de l'actualité théâtrale. Pour cela, il aurait fallu que Martine se méfiât des hauts talons et des parquets glissants. Dans son appartement de la rue de l'Assomption, elle fait une chute et se fracture la cheville, à moins que cette fracture, comme on l'a écrit à l'époque, ne soit qu'une sérieuse entorse. Peu importe. Les faits demeurent. Immobilisée, Martine n'ira pas voir Elvire Popesco et elle n'obtiendra pas le rôle.

La blessure dont souffre Martine soulève des controverses. Les uns n'y croient pas du tout et la mettent au compte d'une opération publicitaire d'un goût douteux. Pour d'autres, c'est le parfait exemple de ce que les adeptes de Freud appellent « l'acte manqué ». Martine s'est mise dans le cas de ne pouvoir accepter ce rôle parce qu'elle n'a pas le courage d'affronter le public. C'est son subconscient qui a provoqué cette chute, sa propre volonté n'y est pour rien. Elle accepte d'ailleurs ce contretemps avec une philosophie fataliste qui tend vraiment à laisser croire que cet accident la délivre d'une décision qu'elle répugnait à prendre. « J'ai manqué ce rôle parce que c'était écrit », répète-t-elle à tous ceux qui viennent aux nouvelles. Mais son accident, elle ne l'a pas inventé. Recluse chez elle, elle montre à ses visiteurs l'énorme pansement qui entoure son pied et sa cheville jusqu'à mi-mollet. Elle affecte de plaisanter :

— Un proverbe prétend : jamais deux sans trois. A douze ans, je me suis cassé le bras ; en tournant Nathalie, j'ai failli me rompre le cou. Maintenant, ma cheville est en petits morceaux et je ne compte pas l'entorse que je me suis faite en tournant *Lucrèce Borgia.* A présent, je suis immunisée.

Le repos forcé que sa jambe immobilisée impose à Martine l'incite à la méditation et à des retours sur soi-même. Elle revoit son passé (comme une noyée) et en arrive à se demander si son présent garantit son avenir et, surtout, si tous les efforts qu'elle a fournis dans le passé sont justifiés. Réaction normale, la rassure son médecin. En de tels instants, ce sont toujours les ennuis et les épreuves subis qui remontent à la surface. Ils sont tellement plus nombreux que les joies qu'ils prennnent le pas sur elles. Et puis, ils laissent en nous une empreinte ineffaçable.

— Je ne veux plus me faire de souci, déclare Martine. Pour rien ! Je n'ai aucun besoin de travailler. J'ai largement de quoi vivre. Mais il y a le public, qui me réclame. Lorsqu'un passant me reconnaît dans la rue, il me demande toujours :

« — Quand vous reverra-t-on dans un film ? »

« Cette fidélité me touche et alors, je me dis : " Allez, Martine, il faut te remettre au travail. " »

« Ah !... J'en ai tourné, des films. Une quarantaine, coup sur coup. A trente-neuf ans, vous avouerez que c'est un beau tableau de chasse ! Et quand je pense que *Lola Montès* est maintenant à la Cinémathèque, je n'en reviens pas. C'est incroyable !

« Souvent, je pense que ma vie côtoie le rêve, l'irréalité. Il me manque une foule de petits bonheurs qui en sont sans doute la vérité essentielle. Sans doute, oui. Pour redevenir tout à fait moi-même, pour me sentir vraiment heureuse, il faudrait que je retourne à Tahiti. Rien n'empêche d'y travailler si on en a envie... Par exemple, produire des films.

Et comme on lui fait alors remarquer qu'on est en pleine période de mutation, que le cinéma aborde la nouvelle vague, que les chanteurs yé-yé prennent le pas sur les diseurs de romances, elle se fâche.

— Ce n'est pas vrai, il n'y a rien de changé, il ne s'est rien passé du tout. Johnny Hallyday, Sylvie Vartan, Françoise Hardy, on ne les connaît pas !

Que cache chez Martine cette attitude négative devant l'indéniable évolution de l'époque, et aussi ce refus de considérer comme autant d'éléments positifs sa jeunesse, sa beauté, sa réussite, sa fortune et, du point de vue affectif, son mariage avec Christian-Jaque ? Simplement la peur d'un avenir qu'elle pressent voué à la solitude, cette solitude qui l'effraie plus que tout au monde.

Pour une actrice dont l'ensemble de la carrière a été aux trois quarts, jusqu'ici, basé sur les attraits physiques — capital éminemment temporaire — le lendemain, c'est la bête noire, le monstre dont les griffes entaillent, jour après jour, le visage, pour y faire apparaître de fins sillons qui se transforment en ornières. Oh ! devant des tiers, Martine affecte de ne pas les craindre, ces rides, à condition qu'elles soient la preuve de sentiments nobles comme la bonté, le don de soi. Ou qu'elles soient encore la marque de la gaieté, de l'intelligence. Mais elle sait bien, au fond d'elle-même, qu'elle cherche ainsi à se leurrer. Ce qui repose en permanence, dans les replis secrets de sa conscience, c'est la terreur du lendemain, c'est l'angoisse du temps qui passe et nous fait passer avec lui.

Cette hantise de la vieillesse habitait si bien Martine Carol qu'un jour, en regardant une photo de Cécile Sorel, alors âgée de quatre-vingt-dix ans, elle s'écria :

— Dieu ! Est-il possible qu'on devienne vieille comme ça ?

Elle ne s'endort qu'aux petites heures du matin, saoule de somnifères. Au réveil, le miroir lui renvoie l'image d'une femme au visage défait, aux paupières bouffies, aux yeux éteints. Aveulie, sans ressort, elle se désespère et songe sérieusement à refuser l'invitation qui lui a été adressée pour se rendre au Festival de Cannes.

— Je suis grosse, laide, finie... J'ai tout raté, gémit-elle.

Cette crise de désespoir se termine en même temps que son immobilité féroce. Rien ne dure longtemps, chez Martine. Elle rit et pleure presque en même temps. Pour se remettre les idées en place, dit-elle, elle part, en coup de vent pour Rome, chez son amie Lollobrigida. Mauvaise idée, car la vue du bonheur de Gina (très heureuse, en effet) la replonge dans ses regrets. Elle contemple, dans la somptueuse villa que l'actrice italienne habite sur la voie Appia, tout ce qu'elle souhaite et qui lui est refusé : une Gina jeune, belle, riche, célèbre, avec à ses côtés un mari toujours présent, toujours prévenant et un bébé qu'on vient de baptiser.

— Ton mari va bien ? s'enquiert Gina.

Martine hausse les épaules :

— Je l'espère, je ne l'ai pas vu depuis des jours et des jours.

Aussitôt, elle s'assombrit et Gina n'insiste pas.

Le climat familial que Gina a su sauvegarder autour d'elle (elle divorcera pourtant quelques années plus tard), remonte le moral de Martine qui décide de ne pas bouder le Festival de Cannes. Poussée par son amie, elle suit un petit régime, perd trois kilos et chante victoire, se remet entre les mains d'un coiffeur en renom, d'un masseur qui ne l'est pas moins, passe des heures à l'institut de beauté et se rend chez le couturier de Gina pour se commander des robes dignes d'elle et du Festival. Une nouvelle complication surgit : Elle a affaire à cette race particulière et calamiteuse de photographes qu'on appelle les « paparazzi ». Ils l'ont suivie jusque chez le couturier et ils sont là, sortent de tous les coins, aussi nombreux que des fourmis dans un tas de feuilles pourries, embusqués dans les ascenseurs, cachés sous les rideaux, dissimulés derrière les canapés, à l'affût dans des voitures. Soucieuse de soutenir sa réputation de gentillesse, Martine reste très « Prix Orange » et se laisse photographier, bien que se jugeant encore impossible. L'un des tourmenteurs lui demande, dans le hall de la maison de couture :

— Martine, que fait Christian-Jaque, en ce moment ?

— Je n'en sais rien, répond-elle, soudain sur la défensive. Il fait ce qu'il veut.

— Sans doute... mais vous savez quand même où il est, non ?

— Répondez, Martine, c'est la question à cent francs. Où est votre précieux mari ?

Martine est trop bien dressée au métier pour laisser transparaître la fureur, l'humiliation qui l'envahissent. Elle répond, toujours aimable :

— Il fait route vers Cannes.

— Et vous allez l'y rejoindre ?

— Si vous le voulez bien, ce sera la question à mille francs. A vous de donner la réponse.

Et elle s'en va, saluée par les paparazzi qui savent, le cas échéant, reconnaître qu'ils sont battus.

⁂

En sortant de chez le couturier, dans une rue voisine où sa voiture est garée, Martine se heurte à un journaliste français qu'elle connaît. Il est le correspondant attitré de plusieurs quotidiens et de deux ou trois hebdomadaires spécialisés dans le cinéma et le théâtre. Obéissant à une réaction normale et toute professionnelle, il interroge la vedette sur ses projets. Il entend par là « projets cinématographiques » car c'est toujours par des questions sur le métier que commence un entretien entre un journaliste et une star. Ensuite, on voit de quel côté souffle la brise — ou la tempête — et on avise. Mais Martine, pour l'instant, les nerfs mis à rude épreuve par l'insistance des paparazzi, ne pense qu'à Christian-Jaque et à son éloignement. En toute mauvaise foi, elle le rend responsable d'une absence uniquement due au tournage d'un film ou du repérage d'un autre. Aussi lance-t-elle, d'une voix vibrante :

— Je divorce.

Le journaliste sursaute, cherche à retenir Martine qui s'engouffre dans la voiture de louage qui l'attend, rangée contre le trottoir.

— Oui, je divorce, lui répète-t-elle à travers la portière.

Et l'auto démarre, laissant l'homme planté comme un piquet sur le trottoir. Il tient de Martine elle-même une nouvelle qui va faire du bruit. C'est un « scoop » qui mérite la « une ». L'aubaine est d'autant plus riche que tout, certainement, va se terminer à Cannes où Martine Carol et Christian-Jaque seront prochainement réunis.

Un Festival de gloire et de lumière.

Le reporter qui a cueilli au vol cette nouvelle est un sage, en ce sens qu'il résiste au désir de la communiquer sans plus attendre. Il réfléchit que Rome, ce matin, transpire, à bout de souffle sous un ciel lourd et un soleil malsain. Chez le couturier qui a préparé quinze robes que Martine emportera à Cannes, la jeune femme, le nez luisant, les cheveux collés aux tempes par la sueur, a tourné sans fin aux mains des essayeuses, discuté les moindres détails de ses toilettes, posé aussi pour le paparazzi. Bref, il y a là de quoi mettre à vif les nerfs de la femme la mieux équilibrée. Revenu à son bureau, le journaliste pense : « La déclaration de Martine Carol a la valeur de ce que n'importe qui peut dire dans un instant de colère ou d'égarement. Mieux vaut n'en pas parler. »

Puis, il réfléchit encore. Et si c'était vrai ? Si cette déclaration fracassante était diffusée par une agence de presse avant que lui-même l'ait communiquée à ses journaux ? Dans le doute, il téléphone à Martine. Elle lui promet de venir elle-même à son bureau, à 16 heures. Et elle raccroche.

A l'heure fixée pour le rendez-vous, elle est là. Elle a fait la sieste, elle est détendue, ravissante dans son frais tailleur de toile. Eh bien, oui, elle confirme sa décision de divorcer d'avec Christian-Jaque. Elle prie même son interlocuteur de la faire photographier, là, tout de suite, dans le bureau même, pour authentifier la nouvelle qu'elle l'autorise à diffuser.

— J'ai décidé de me séparer de Christian-Jaque.

Martine Carol a prononcé cette petite phrase tellement importante avec des larmes dans ses beaux yeux verts. Et elle a bravement poursuivi, d'un ton grave et plein de sagesse raisonnable :

— La décision que je viens de prendre n'est pas un caprice. J'ai mûrement réfléchi. Je ne me sépare pas de Christian-Jaque ni à la suite d'un coup de tête ni de divergences quelconques. J'ai été et je reste l'amie sincère et dévouée d'un homme auquel je dois beaucoup et qui occupera toujours une place prépondérante dans mon cœur et dans mon âme.

Et puis, revivant par la pensée les années qui viennent de s'écouler, Martine les résume en ces termes :

— Notre métier a été, au fond, le grand responsable de mon drame. En deux ans, je n'ai rencontré Christian que pendant le tournage de *Nathalie,* avec le triste souvenir, comme conclusion, de trois mois d'hôpital. Au cours de ces huit derniers mois, à part de nombreuses conversations téléphoniques, nous nous sommes vus deux jours seulement.

— Dans cette course perpétuelle au rendez-vous manqué, j'ai tout de même une grande consolation. Christian reste pour moi un vrai et grand ami.

— Je me réjouis à l'avance de tourner sous sa direction en septembre en Yougoslavie *la Petite Catherine* et, l'année prochaine, à Hong-kong, une suite de *Nathalie.*

Et Christian-Jaque ? Que devient-il, tandis que sa femme, à Rome, proclame qu'elle veut divorcer ?

Pour épargner une fatigue inutile à Martine, il lui téléphone de Paris et lui suggère de se rendre directement à Cannes où il viendra de son côté. Ils se retrouveront au Festival. La veille, il a vendu la voiture de Martine et lui a acheté, à la place, une Cadillac toute blanche, aussi douce qu'un berceau.

En conducteur expérimenté et soucieux d'épargner la mécanique, il la rode avec soin sur la route de Paris à Cannes. Il n'a pas choisi cette voiture selon ses propres goûts. Lui, il aime les voitures rapides, les démarrages qui font crier les pneus, la conduite « sportive ». Une Cadillac, c'est pour promener, dans une ambiance de confort et d'élégance raffinés, une fleur de serre aussi fragile que sa femme. Il arrive ainsi chez lui, chez elle, c'est-à-dire chez eux à Magagnoscq, à la ferme Saint-Jean. Le soir tombe. Le festival, c'est pour demain.

Le feu qui brûle dans la cheminée dispense une ambiance de tiédeur parfumée, un chien dort près de l'âtre. Dans son sommeil, il pousse de petits cris, ses pattes s'agitent, son dos frissonne. Il rêve qu'il poursuit un lièvre, peut-être une biche. Christian-Jaque, détendu et tranquille, s'apprête à parcourir les journaux qu'il n'a pas eu encore le temps de lire. Ils sont là, préparés, à côté du pichet d'orangeade et de ses cigarettes préférées. Il lit.

Stupeur ! Il lit qu'il va divorcer ! Il découvre ce que tout le monde sait depuis le matin : Martine demande le divorce. Ce n'est pas possible ! Lui qui comptait, une fois le festival terminé, revenir avec elle à la ferme et y passer au moins deux semaines tranquilles, loin de toute activité cinématographique. Et, comme pour son mariage, il est le dernier à apprendre la nouvelle.

Déjà, à une trentaine de kilomètres de là, tout le festival ne parle que de « ça ». Deux courants n'ont pas tardé à se créer. Les vrais amis du couple échangent des regards navrés. Les autres disent : encore un joli coup de publicité. Pensez donc, l'annonce du divorce en plein festival ! Les bonnes âmes ne manquent pas de rappeler que Martine, infiniment plus retorse qu'on le croit, a déjà prouvé son habileté en matière de publicité. Rappelez-vous donc son faux suicide dans la Seine, avec le chauffeur de taxi pour la retirer de l'eau suffisamment tôt pour qu'elle n'attrape même pas un rhume ! Enfin, l'ensemble de tout ce qui, à Cannes, s'intéresse de près ou de loin au festival, c'est-à-dire à peu près toute la population de Cannes, se demande avec fièvre et curiosité ce qui se passera lorsque Martine et Christian-Jaque s'affronteront. Quelle sera leur attitude ? Quelle sera leur réaction ? Quelles seront ces retrouvailles ? Le spectacle sera-t-il mélodramatique ? Désinvolte ? Ou navrant ?

Or, tout se passe comme si, justement, rien ne s'était passé. Martine descend de l'avion, souriante comme à l'accoutumée, sans que son visage trahisse la moindre trace de désarroi. Elle est belle, fraîche, impeccable. Elle est accueillie à l'aéroport par Christian-Jaque. Il la prend dans ses bras et tous deux échangent un baiser devant les photographes. Le metteur en scène conduit ensuite sa femme jusqu'à sa voiture. A ce moment-là, on voit, en y regardant de près, les lèvres de Martine trembler un peu et ses yeux se mouiller de larmes rapidement refoulées.

Sans s'être consultés, et parce que tous les deux ont de la classe, Martine et Christian-Jaque ont décidé que, les explications, ce serait pour plus tard, après le festival. Quand ils seraient en tête à tête à Magagnoscq, par exemple.

De sorte que les festivaliers les voient ensemble chaque fois qu'ils sont appelés à l'être. Mais on remarque quand même que, en dehors des invitations officielles et de leurs obligations professionnelles, chacun fréquente un groupe de familiers différents dès qu'ils sont libres de leur choix. Ainsi s'établit une certitude que viennent fortifier les potins attrapés au vol. Martine et son mari se sépareront dès que les cérémonies de Cannes seront terminées.

La presse trouve un aliment de choix dans cette rupture inattendue, qui se dissout brutalement sous les illuminations de la Croisette, témoin ce morceau de bravoure paru sous la signature de François Chalais :

« La gloire de l'époque s'appelait Martine Carol. Elle ne faisait que descendre de l'avion à l'aéroport de Nice, embrasser sous les flashes des photographes, pour annoncer qu'elle divorçait, le monsieur qui était alors son mari, enfourcher une Cadillac blanche comme gardienne d'oies enjambe un ruisseau familier, puis, le même soir, dans un fourreau de lamé cousu à même la peau, et qui avait dû, dans cette opération, laisser bien des piqûres d'aiguilles, elle escaladait, impératrice d'un carnaval pour académiciens en goguette et cover-girls montées en branches, les marches du palais en quête de la plus éclatante des consécrations : celle de l'entracte. Mais cela a suffi pour que Martine Carol ait été notre dernière grande star, avec tout ce que cela comporte de faible et de fou, de riche et de misérable, d'absurde et de merveilleux... (1) »

Un couple qui se défait.

Le couple Christian-Jaque-Martine Carol, cette pièce maîtresse de la pâtisserie cinématographique et festivalière, a fondu comme fondent à la chaleur des banquets ces magnifiques gâteaux que l'on se donne tant de mal à fabriquer et à décorer.

La rupture accomplie, Martine, qui n'a peut-être pas osé revenir sur une décision qu'elle pressent désastreuse pour elle, repart pour l'Italie. Elle a soigneusement rangé, dans une de ses valises, la coquille de plâtre dans laquelle elle s'emprisonne pour dormir. Elle a placé, juste au-dessus, la reproduction miniaturisée de la Victoire de Samothrace, statuette qui correspond, en plus esthétique, à l'Oscar distribué à Hollywood. Cette récompense lui a été offerte, au titre de la meilleure actrice de l'année, à la suite d'un référendum organisé auprès des lecteurs de *Cinémonde* et du *Film français*.

Cette récompense la place maintenant au même niveau que Michèle Morgan, sacrée, comme elle, meilleure actrice française de l'année ; de Giuletta Masina, meilleure actrice étrangère ; de Vittorio de Sica, meilleur acteur étranger ; de Federico Fellini, meilleur réalisateur étranger (et mari de Giuletta Masina) et de René Clair, meilleur réalisateur français.

Quel symbole ! Quelle dérision que cette coquille de plâtre et cete Victoire de Samothrace enfermées dans les

---

(1). François Chalais « Les Chocolats de l'entracte », (Stock).

mêmes bagages. Dans le châlet de montagne où Martine s'est réfugiée, à Cervinia, elle établit le bilan de sa vie. Elle constate avec amertume qu'il est loin d'être positif. En partie par sa faute mais cela, elle se refuse à l'admettre et elle est partiale jusqu'à l'inconscience. Dans la colonne des avoirs, elle inscrit « néant » et dans la colonne des débits, elle pourrait mettre toutes les erreurs qui la poussent à présent vers le désespoir. Mais quand on souffre, physiquement et moralement, on n'est pas forcément coupable des erreurs de jugement que l'on commet et Martine, qu'il y ait de sa faute ou non, est désemparée comme une barque secouée par la tempête.

« Pour les autres, ressasse-t-elle sans fin, je n'ai jamais été qu'un bibelot, un objet qu'on exhibe. »

Par « les autres », elle entend, bien sûr, les hommes pour lesquels son cœur a battu. Mais, à propos de Christian-Jaque, elle va plus loin parce qu'elle souffre terriblement, gravement, de la blessure qu'elle s'est infligée elle-même :

« Avec lui, les choses ont été quelque peu différentes. Lui, ce n'était pas à la foule qu'il voulait me montrer, mais à sa mère. Elle était toujours là, avec nous, même pendant notre lune de miel. A peine étions-nous couchés qu'elle venait s'asseoir au pied de notre lit et elle ouvrait la télévision. Elle décidait de tout, surveillait tout, filtrait tout. Mon mari ne disait rien. Il fallait que je me contente d'être bien habillée, sage, obéissante... De faire joli, en somme, dans ce tableau de famille. »

*
* *

10

« Ce n’est qu’un au revoir... »

1958 : Martine a déjà à son palmarès une carrière qui satisferait bien des vedettes. Et pourtant, il faut qu'elle se l'avoue : elle ressent son existence comme une accumulation d'échecs déplorables. Ce besoin de faire le point, de repartir à zéro, qui l'a tracassé toute sa vie, n'a jamais été aussi fort.

« Il y a tant de gens qui sont utiles sur la terre, déclare-t-elle aux journalistes, que je me demande à quoi je sers. Je n'ai pas d'enfant et je ne suis pas capable de faire le bonheur d'un mari. Il faut que je révise mes conceptions et que je me remette en question. »

« Incapable de faire le bonheur d'un mari... » C'est l'échec de son union avec Christian-Jaque qui lui inspire cette réflexion désabusée. Le couple paradait encore sous les projecteurs de l'actualité que le tête-à-tête s'avérait vide de toute signification.

Martine analysait d'ailleurs avec beaucoup de lucidité la situation, avant de craquer complètement :

« La présence constante de ma belle-mère a été pour moi le fait dramatique et imprévisible qui devait empêcher notre union d'être ce qu'on appelle simplement un mariage. Nous n'étions pas un couple, nous étions un trio. Cette idée fixe, cette sensation d'une présence non souhaitée me poussait à fuir en avant ; je me suis jetée dans le travail et dans une agitation dépassant de beaucoup mes possibilités pour ne pas rencontrer sans cesse ma belle-mère sur ma route.

« Quand je suis allée tourner à Tahiti, c'est parce que c'était un endroit très lointain, très loin de chez moi... »

Il y a, aussi, pour augmenter son malaise et sa dépression, la présence constante à ses côtés de journalistes en mal de copie. Non qu'ils veuillent la faire souffrir. Qui pourrait détester Martine ? Mais les moindres incidents de sa vie privée intéressent les foules. Alors, on dramatise le plus petit bobo ; on donne une importance exagérée à ses moindres réflexions. Obligée de se maîtriser constamment sous peine de voir ses paroles et ses gestes mal interprétés, Martine sent ses nerfs craquer.

De plus, ayant toujours été gentille et douce, elle ne veut pas désobliger des gens qui ne font, après tout, que leur métier. Elle accorde toutes les interviewes qu'on lui demande, espérant voir les choses remises au point. Malheureusement, c'est tout le contraire qui se produit. La lecture de ses propos déformés, de ses actions amplifiées et trahies lui sont un crève-cœur quotidien.

Alors, comme une petite fille à laquelle on a fait du mal, comme une bête blessée qui ne sait plus où trouver du secours, elle se réfugie chez sa mère, à Magagnoscq. Elle veut redevenir un enfant qu'on cajole.

Mais, comment trouver un vrai repos, avec ces journalistes, ces photographes toujours à l'affût ?

« Je reste avec toi trois mois, a dit Martine à sa mère, j'ai besoin de ces trois mois de repos. »

Ce temps précieux sera-t-il gâché par un jeu de cache-cache épuisant ?

Martine se souvient de Tahiti, du climat apaisant, des longues baignades loin des regards indiscrets. Elle veut fuir, encore une fois, oublier, repartir. Non plus vers Tahiti, qui lui suggère trop de souvenirs, mais vers des îles chaudes, heureuses. Et pourquoi pas les Caraïbes, la mer des Antilles ?

« C'est dit, maman, nous allons faire une croisière ensemble, toutes les deux, seules. »

Mme Mourer ne peut qu'accéder au désir de sa fille, son enfant retrouvée. Certes, ce n'est pas le départ joyeux pour les grandes aventures. Certes, Martine sanglote plus souvent qu'elle ne chantonne, en bouclant ses valises. Mais enfin, le paquebot de croisière *Irpinia* reçoit à son bord deux femmes pleines d'espoir.

« A mon retour, je serai transformée. Ce n'est qu'en m'éloignant que je pourrai me concentrer et me reprendre. Cette existence surmenée ne me conduit à rien de bon. »

Et elle insiste encore, comme pour mieux se persuader elle-même. Ses amis, venus lui faire escorte sur une petite barque, tandis que le paquebot s'éloigne lentement, l'entendent dire :

« Je reviendrai, et je reviendrai guérie. »

Pour l'encourager, ils entonnent le plus énergiquement possible « Ce n'est qu'un au revoir... ».

Bien sûr, c'est un peu sinistre de voir cette femme qui devrait être comblée, adorée, s'en aller seule, accrochée au bras de sa mère comme un bébé. Mais elle est si souvent partie pleine d'espoir pour revenir déçue et trompée qu'on se dit que, cette fois, le dépaysement lui apportera peut-être une sorte de sérénité.

Sa nervosité excessive qui la pousse à abuser de calmants et d'alcool, disparaîtra peut-être sous le ciel bleu des Antilles, en présence d'une mère affectueuse. Cependant, un danger existe : les deux femmes n'attendent-elles pas trop de cette croisière ? Ne risquent-elles pas de voguer vers de nouvelles déceptions ?

La première escale, à la Jamaïque, n'autorise aucun optimisme. C'est très britannique, la Jamaïque. Martine ne retrouve pas cette décontraction, cette douceur de vivre qui l'avaient séduite à Tahiti.

Qu'importe ! Elle veut montrer qu'elle a du courage. Elle part pour la Martinique. Cette fois, elle est dans un département français. Elle peut parler sa langue maternelle. Et puis, elle apprécie mieux la mentalité des Martiniquais que celle des Jamaïcains.

Pourtant, si elle tente de crâner, de faire bonne figure, Martine se sent toujours aussi déprimée. Et puis voilà que Mme Mourer se plaint des fatigues du voyage. La présence d'un médecin s'impose.

Celui qui se présente est bien fait pour comprendre la vedette. Excédé par l'agitation des grandes villes européennes, il s'est retiré depuis cinq ans à Fort-de-France. Il s'appelle André Rouveix.

« *Plus de médicaments.* »

André Rouveix entre dans la chambre de Martine, bien décidé à ne pas se laisser attendrir par les caprices de Caroline Chérie. Il ne la connaît que par ses films — toujours des rôles de coquettes — et par les ragots colportés sur son compte. Non, elle ne lui fera pas le coup de la star à laquelle tout le monde obéit !

Aussi le premier contact est-il plutôt brutal :

— Je vais vous donner quelques ordres. Il faudra que vous obéissiez. Sinon, je vous laisse à vos malaises et à vos crises de nerfs.

Un coup d'œil sur la coiffeuse de sa nouvelle cliente le met en fureur. Tous ces calmants, tous ces excitants... Et toutes ces eaux de toilette, ces laits de beauté, ces lotions toniques, ces crèmes...

— Vous allez me jeter tout de suite ces médicaments. Tous, sans exception. Il faudrait bien aussi vous débarrasser de ces produits de beauté, mais je ne serai pas trop méchant : enfermez-les dans une valise, loin de votre vue.

— Et puis ici, on vit en jupe, chemisier, bikini, pieds

nus ou dans des sandalettes à talons plats. Vous allez enfermer dans un placard toutes ces robes inutiles. Demain matin, nous commençons le traitement. Je viendrai vous chercher. Soyez prête au lever du jour. Plus tard, la chaleur serait trop difficile à supporter.

Martine se sent sans volonté aucune. Il lui est bien agréable que quelqu'un pense à sa place. Le lendemain, elle est là, à l'heure, le visage nu, habillée sans recherche. Elle se souviendra longtemps de la séance de torture qui a suivi, car André Rouveix a décidé qu'elle conduirait elle-même le gros chris-craft sur lequel ils embarquent. Elle a beau se plaindre de la fatigue, prétexter sa peur, sa crainte des brûlures du soleil, l'accuser d'être inhumain...

— Ce qui est inhumain, c'est la vie que vous avez menée jusqu'à maintenant. Ce qui est inhumain, c'est le monde d'où vous venez. Ici, vous ne trouverez que des gens simples et heureux, parce qu'ils sont restés proches de la nature. Ce sont eux, et leur façon de vivre, que vous devez imiter, qui peuvent vous guérir.

A peine ont-ils débarqué sur une longue plage de sable que Martine, exténuée, s'endort. Sans l'aide d'aucun somnifère. Et le soir, après le bain, elle fait honneur au mouton rôti à la broche.

En Europe, les amis de Martine, les journalistes, ont respecté les trois mois de trève qu'elle leur a demandé. Mais, ce laps de temps écoulé, on commence à s'interroger.

Elle a promis de revenir guérie. Or, on n'a pas beaucoup de nouvelles d'elle. Est-elle toujours paralysée par la peur de l'avenir ?

Elle a toujours tremblé. Elle a craint de demeurer infirme, après son accident, lors du tournage de *Nathalie,* quand elle se réveillait en sursaut, la nuit, torturée par son corset de plâtre. Elle a été angoissée par l'arrivée, dans le monde du cinéma, d'une cohorte de jolies jeunes femmes : Va-t-elle encore trouver des engagements, ne sera-t-elle pas cantonnée bientôt dans des films de dernière catégorie ? Elle a peur d'elle, aussi, peur de ses nerfs mal maîtrisés qui la trahissent fréquemment, peur de l'intoxication, peur de devenir folle.

Elle fait souvent un horrible cauchemar. Elle se voit, comme cela est arrivé à Gene Tierney, debout sur la barre d'appui d'un balcon, prête à se jeter dans le vide. Mais un bras vigoureux a sauvé Gene d'une mort horrible. Tandis que dans le rêve de Martine, aucune main secourable n'apparaît. Et elle tombe, elle tombe...

C'est à tout cela que songe l'envoyé spécial d'un journal parisien, venu aux nouvelles. Dans quel état va-t-il trouver Martine ?

Dès le premier coup d'œil, il comprend qu'il ne pourra pas faire un reportage sensationnel sur les malheurs, les angoisses de la vedette. C'est une fille bronzée et rieuse qui l'accueille, une fille aux yeux clairs qui lui crie du plus loin qu'elle le voit :

— Quel dommage que tu ne sois pas arrivé deux jours plus tôt à la Martinique ! Tu aurais pu assister à mon triomphe. J'ai pêché un thon de seize livres, « à la traîne ». Car je pêche, ici !

La cure du Dr Rouveix a porté ses fruits. Voyant cette femme rajeunie, métamorphosée, le journaliste donne aussitôt au médecin le surnom de « Docteur Miracle ». Et il s'agit vraiment d'un miracle, qu'elle accepte de conter.

— Et le sommeil ? lui demande l'envoyé de Paris. Dors-tu mieux, maintenant ? Tes angoisses ? Ta dépression ? Ta crainte de la folie ?

— Oublié, tout ça. Evanoui. Je m'étais tout simplement trompée de vie. Je suis guérie. Je suis sauvée. Je suis heureuse. Ici, tout est simple et vrai : on dort, on boit, on mange, on pêche et on a des copains qui sont sincères. C'est tout, et c'est formidable !

L'amitié, les copains, c'est tout ce qu'il faut à Martine, dont la vie professionnelle a été gâchée par les jalousies, les mesquineries, les ragots. Ici, on ne la poursuit pas dans la rue avec des carnets d'autographes. On ne l'écrase pas dans l'espoir de la toucher, comme à la sortie des galas. On ne l'injurie pas parce qu'elle est belle.

Les Martiniquais l'ont adoptée. Le soir, quand ils passent devant l'hôtel où elle s'est installée avec sa mère, des inconnus la saluent amicalement, de loin, sans troubler son repos. Certains lui parlent, gentiment, les après-midi où elle s'étend sur la plage, au soleil. Le soir, elle participe en toute simplicité aux fêtes qui réunissent les fonctionnaires de l'administration autour d'un mouton rôti à la broche. Elle écoute Danielle, une jeune laborantine qui est devenue son amie, chanter des airs du pays, accompagnée à la guitare par un employé d'Air France...

— C'est le paradis, cette vie, n'est-ce pas ? dit Martine à son interlocuteur. Toute la journée dans l'eau et au soleil Plus de coiffeur, plus de maquillage, plus de téléphone, plus de secrétaire, plus de rendez-vous, plus de producteurs et plus de metteurs en scène ! Guerre à l'artifice, et vive la nature !

Martine a toujours été excessive. Une fois de plus, elle raye tout en quelques paroles, le passé, son métier :

— Je sais maintenant que le monde ne se limite pas aux impresarios avides, aux producteurs imbéciles, aux metteurs en scène tyranniques. Je sais qu'il n'y a pas que des jeunes starlettes jalouses, des jeunes premiers homosexuels et des secrétaires intrigantes. Je sais qu'il y a d'autres personnes valables : des hommes et des femmes vrais, sincères, désintéressés.

— Mais dis-moi, Martine, tu n'es pas prête à abandonner le cinéma pour te transformer en femme des îles ? D'ailleurs, tu ne le peux pas. Tu dois tourner en Italie, aux côtés de Gina Lollobrigida, puis au Mexique, avec Gary Cooper, sous la direction de Robert Aldrich...

— Bien sûr, je suis consciente d'avoir des obligations.

Mais j'espère que ma carrière cinématographique s'arrêtera là, et qu'à Mexico, je pourrais faire mes adieux à la caméra.

Le journaliste sent que Martine ne s'est pas encore confiée totalement. La nature, l'amitié, le soleil, c'est bien joli. Mais ne serait-elle pas tout simplement tombée amoureuse, pour être aussi gaie, aussi belle ?

D'ailleurs, un bruit court dans l'île. On l'a vue visiter toutes les maternités de Fort-de-France, dans des villages aux noms exotiques et charmants, Case-Pilote, Diamant, Trois-Ilets, Morne-Vert, Ilet-Madame, Pointe-de-la-Rose. Elle a pris des bébés dans ses bras, s'est renseignée sur les formalités à accomplir pour en adopter un.

Elle se laisse un peu aller, Martine, sous le soleil de la Martinique. Elle avoue, sans vraiment avouer :

« Il y a trois mois, je m'étais juré de ne jamais me remarier. Maintenant, je pense différemment. Une fois divorcée et les délais écoulés, je pourrai envisager la vie sous un autre jour. Ce dont je suis certain, c'est que, dans le cas où je me remarierais, je n'épouserais pas un homme de cinéma. J'ai compris. On ne peut jamais se rencontrer ! Il me faudrait quelqu'un qui agisse plus qu'il ne parle. Un réaliste, d'accord, mais surtout un homme véritable.

« Et pour cet homme, si je le trouve — et je le trouverai — je serais prête, alors, à abandonner ma carrière. Je serais sa femme à son foyer. »

Ne l'a-t-elle pas déjà découvert, cet homme qu'elle vient de décrire avec tant de flamme ? N'est-ce pas justement celui qui vient de lui redonner goût à la vie ? Ce « Docteur Miracle » qui, avant elle, a fui la vie névrotique des villes et qui, par un jeu amusant du hasard, est né le même jour qu'elle ?

Un homme sûr de lui.

Réaliste, André Rouveix l'est. Et énergique et volontaire. Toutes les qualités que Martine assure rechercher chez un homme, il les a.

Peut-être même est-il trop réaliste, car, avec le recul des événements, on est en droit de se demander si sa rencontre avec Martine fut aussi innocente que la vedette a bien voulu la décrire au début. L'histoire de leurs premiers rendez-vous peut paraître aussi bien le résultat d'une suite de hasards heureux qu'un scénario habilement combiné.

On a dit qu'il avait été appelé au chevet de Mme Mourer et qu'il s'était aussitôt intéressé à l'état de santé de sa fille. On a raconté, aussi, que c'étaient des « amis de Paris » qui l'avaient prévenu de l'arrivée de Martine. Il serait intéressant, pour la suite des événements, de savoir exactement ce qu'il s'est passé. Malheureusement, on ne peut faire que des suppositions.

Leur seconde rencontre, au bar du *Lido,* n'a rien d'extravagant. La Martinique n'est qu'une toute petite île. A Fort-de-France, il n'y a même pas 100 000 habitants. Les hôtels, les restaurants, les bars que peuvent fréquenter une vedette de classe internationale sont peu nombreux. Il est donc logique que Martine croise, un soir, un des médecins les plus cotés du pays.

Il est logique aussi, qu'invitée chez le préfet, qui se doit de faire honneur à Martine Carol, elle retrouve le praticien. Celui-ci fait partie des personnalités de la Martinique. Il est naturel qu'elle lui adresse la parole et qu'elle lui pose des questions sur son existence.

André Rouveix aime son métier, et sait en parler avec passion. Chacun l'écoute. Martine, pour une fois qu'elle se trouve à un dîner où elle n'est pas l'objet de toutes les attentions, prête également l'oreille à ce que dit cet homme apparemment si sûr de lui. Elle a peut-être été un peu agacée par sa suffisance, au début. Bien vite, elle tombe sous le charme.

Et Rouveix ? A-t-il fait sa cour dans l'espoir de séduire le « sex-symbol » du moment ? S'est-il tout simplement senti flatté de l'attention qu'elle lui portait ? S'est-il pris au jeu difficile de tirer de l'ornière une étoile bourrée de drogues et d'alcool ? S'est-il dit encore qu'il serait assez fort pour la guérir de son angoisse ? Au début, il y a certainement un peu de tout ça. Car il serait monstrueux de croire que seuls les bijoux et les carnets de chèques de Martine ont attiré son attention. Comme il serait naïf d'imaginer qu'il s'est intéressé à elle de la même façon qu'il l'aurait fait pour n'importe laquelle de ses malades.

La légende veut aussi que Martine, qui croyait aux astres, ait été troublée par la prédiction d'une voyante. C'était quelques semaines avant son arrivée à Fort-de-France. Elle avait fait escale à Haïti. Elle s'était présentée dans un hôtel que lui avait recommandé Jean-Louis Barrault, tenu par une certaine Mme Siciliano. Celle-ci avait voulu lui tirer les cartes : « Aux Antilles, un beau médecin vous soignera et vous l'épouserez. »

Martine s'est si bien souvenue de cette prédiction que, lorsque le projet de mariage est devenu une réalité, elle demande à André que la cérémonie soit célébrée à Pointe-à-Pitre, afin de pouvoir inviter celle qui lui a annoncé la bonne nouvelle.

Ce simple détail prouve que Martine était véritablement éprise du beau médecin, si quelques-uns peuvent encore en douter. Il est juste aussi de reconnaître qu'il lui a rendu toute son énergie, tout son courage. Quand la date de revenir en France pour affronter de nouveau les caméras est venue, elle déclare :

— J'aurai, cette fois, le courage de revenir en avion. Rester ici dix jours de plus, cela vaut bien un petit désagrément.

« Je suis si heureuse. »

Son arrivée à Nice est à marquer d'une pierre blanche. C'est une des rares périodes où on la voit épanouie, pleine de projets. Dès qu'elle apparaît en haut de la passerelle, ses amis comprennent que les nuages sont enfuis. Elle est éclatante de beauté dans son pyjama de plage bleu-turquoise et son manteau blanc. Bien qu'elle soit pieds nus dans ses sandales, la pluie ne trouble pas sa bonne humeur :

— Que je suis heureuse, s'écrie-t-elle en se jetant dans les bras de ceux qui l'attendent. Je suis la femme la plus heureuse du monde.

Les journalistes comprennent qu'il y a anguille sous roche. On leur a changé leur Martine. Ils apprennent que, dans les secondes qui ont suivi son arrivée, elle a reçu un coup de téléphone en provenance de Fort-de-France.

— Amoureuse ? lui demande-t-on.

— Ça se voit donc ? réplique-t-elle naïvement.

Cependant — par superstition ou pour couper court aux ragots —, elle tient sa langue.

— Vous allez revoir Christian-Jaque ? Vous allez vous réconcilier avec lui ?

— Non, je suis plus que jamais décidée à divorcer.

— Alors, après le divorce, un remariage ?

— Non, non, voyons, il n'en est pas question. D'abord, j'ai mille choses à faire avant d'aller à Rome tourner avec Gina Lollobrigida et Vittorio de Sica. Je veux passer mon permis de conduire. Je veux terminer l'aménagement de ma ferme de Magagnoscq. Et surtout, je veux me reposer une semaine aux sports d'hiver.

Le choix de la sation n'est pas des plus heureux, si elle souhaite la discrétion. Kitzbühel est un effet le lieu de rendez-vous de toutes les stars de l'univers. Plusieurs échotiers en mal de copie y séjournent à longueur d'année. Ils ne sont pas longs à repérer que Martine est là, avec le médecin qui l'a soignée à Fort-de-France.

Malgré toutes les dénégations de la vedette, les journaux titrent bientôt : « Enfin, notre Martine chérie a trouvé un homme qui va faire son bonheur. »

Il faut attendre, pour fixer la date du mariage, que le divorce soit prononcé entre Martine et Christian-Jaque. Un seul point reste en suspens dans cette triste histoire : le partage de l'appartement où ils ont vécu ensemble rue de l'Assomption. Plus tard, les diverses procédures gâcheront la vie de Martine. Mais pour l'instant, foin du passé. Elle passe son temps entre des séjours à Fort-de-France et à Paris, où elle surveille l'installation de son nouveau home, un huit-pièces rue Raynouard. Car c'est décidé, André Rouveix viendra vivre à Paris. Tout est prêt pour l'accueillir. Une voiture blanche toute neuve l'attend même au garage.

Martine peut désormais annoncer la bonne nouvelle. Le mariage aura lieu en août 1959.

— Je l'aime et je l'admire, dit-elle en parlant d'André. Son amitié, son charme, son amour agissent sur moi comme un baume bienfaisant. Je n'avais jamais connu cela avec mon premier mari Steve Crane, gai mais trop fugace, ni avec Christian-Jaque, toujours trop préoccupé par ses films.

Martine a voulu se marier en Haïti, à Port-au-Prince. Elle y arrive tout de blanc vêtue, coiffée d'un amusant canotier. L'heureux élu déclare :

— Je ne me serais jamais marié si je n'avais pas rencontré Martine.

Phrase à double sens, mais n'anticipons pas.

Une mariée en broderie anglaise.

Puisque conte fées il y a, car Martine donne vraiment l'impression de vivre un rêve, la cérémonie se déroulera de la façon la plus romanesque qui soit. Les fiancés sont accueillis à la douane par un fonctionnaire qui leur joue *la Marche nuptiale* sur son accordéon. L'hôtel Ibolélé, où ils ont retenu leur appartement, est une somptueuse demeure qui croule sous les fleurs blanches et rouges de frangipaniers.

Martine a même voulu se marier en robe blanche. C'est Jacques Estérel qui a créé pour elle un délicieux modèle en broderie anglaise. André Rouveix a abandonné les chemises à fleurs pour un complet ivoire et une cravate bleu foncé. François Duvalier, président de la République d'Haïti, a envoyé de superbes roses rouges. Toutes les hautes personnalités de l'île sont présentes au moment où l'officier de l'état civil, Lucien Saint-Surin, dit d'une voix étranglée par l'émotion :

— Permettez-moi, distingués conjoints, de vous rappeler les lois mutuelles du mariage.

Une artiste peintre qui réside à Haïti, ancienne élève de Dufy, demandera à Martine de poser pour elle, avant de partir en voyage de noces.

Les habitants de Port-au-Prince n'ont pas hésité à abandonner leur travail pour assister à la cérémonie. Les badauds se pressent sur les terrasses.

Il y a un moment d'intense émotion lorsque Martine, brusquement, après avoir prononcé le « oui » traditionnel, se jette dans les bras de son nouvel époux, les joues couvertes de larmes. Cet incident retardera un peu la signature des témoins, triés sur le volet. Il y a M. Robert Baussant, ancien ministre du Tourisme, propriétaire de l'hôtel Ibolélé et architecte d'avant-garde ; le Dr Maurice Arnaud, ancien interne des hôpitaux de Paris, doyen de la faculté de médecine de Port-au-Prince et président de l'Alliance française ; M. Jacques E. Honorat, directeur du Conseil du Tourisme ; M. André Roosevelt, un respectable vieux monsieur de quatre-vingts ans, cousin de l'ancien président des Etats-Unis.

La cérémonie terminée, les photographes ayant accompli leur devoir, M. Saint-Surin donne lecture d'un discours très académique et un peu embarrassé qu'il a préparé pour la circonstance :

— Etoile de première grandeur du cinéma international, déclame-t-il en se tournant vers Martine, vous avez tenu à choisir le cadre splendide de Haïti comme fond de décor pour le plus beau rôle de votre vie. J'ai le grand honneur et la joie de vous nommer citoyenne d'honneur de Port-au-Prince. Je vous remets ce diplôme ainsi que les clefs de la ville.

Toujours sensible lorsqu'on est aimable avec elle, Martine le remercie, les larmes aux yeux. Puis le couple descend le grand escalier de la mairie, entre une haie de danseurs vaudous et de joueurs de tambours. Avant de se rendre à l'invitation du président de la République, ils assistent à la représentation d'un ballet folklorique. Tard dans la nuit, ils rejoindront le bungalow fleuri qu'ils ont loué au flanc de la colline.

Le troisième mariage de Martine Carol s'est déroulé dans une telle atmosphère de fête qu'on aimerait s'arrêter là et conclure : « Ils vécurent longtemps heureux et eurent beaucoup d'enfants... »

Le voyage de noces que les nouveaux mariés font au Pérou semble fixer à jamais l'image d'un bonheur conjugal inaltérable. Martine se fait photographier à dos d'âne, au milieu des paysans indiens. Elle s'émerveille devant le lac Titicaca ; elle est impressionnée par la Cordillère des Andes ; elle écoute un discours d'André Malraux, alors en voyage en Amérique du Sud. Bref, autant d'instantanés, de clichés à ranger dans l'album photographique des bons souvenirs.

On ne tarit pas d'éloges sur le Dr Rouveix, qui a fait preuve, un jour, de son dévouement extraordinaire. Invité avec sa femme chez un producteur de Rio, il passe une soirée tranquille sur la plage, dans une atmosphère qui rappelle à Martine l'ambiance polynésienne, quand un pêcheur du coin arrive en trombe, affolé, demandant si quelqu'un peut soulager son épouse, « dans les douleurs ».

On sait que la spécialité du Dr Rouveix est la gynécologie. N'écoutant que sa conscience professionnelle, il se saisit d'une lampe à pétrole et suit l'homme jusqu'à sa case. Vers 3 heures du matin, il aide la femme à mettre au monde un gros garçon.

Emouvante anecdote, qui fait bien augurer de l'avenir de Martine. Avec un tel homme, c'est le bonheur assuré !

Pourtant, un petit détail, dans toute cette guimauve, devrait attirer l'attention. Oh ! c'est un petit rien. Malgré tout, il donne à réfléchir. Les journalistes se souviennent que Martine, quelques mois auparavant, a déclaré ne plus vouloir affronter les caméras si elle rencontrait l'homme de sa vie.

Interrogée sur ce point, lors de son arrivée à Rio, à la fin de son voyage de noces, elle répond haut et clair :

— Je continuerai de tourner.

Où sont les beaux projets de vivre à la Martinique, en se prélassant au soleil tout le jour, en dansant et en chantant avec des « amis simples et sincères » ? Le Dr Rouveix a renoncé bien facilement à son amour de la nature et de la vie sans contrainte. Est-ce la faute de Martine, qui ne veut pas renoncer à sa carrière, qui se sent assez en forme pour affronter les nouvelles starlettes ? Est-ce vraiment elle qui a contraint son mari à abandonner tout ce qu'il aime ?

Ou bien André Rouveix a-t-il décidé de revenir à Paris, qu'il avait quitté comme tout petit « toubib », en triomphateur, en époux d'une vedette adulée et richissime ? A-t-il pris prétexte de l'amour que Martine lui voue pour se refaire une bonne situation ? Les îles, malgré tout ce qu'il a pu déclarer, ont-elles été pour lui autre chose qu'un pis-aller ?

Quoi qu'il en soit, Martine revient à Paris pour le « boulot » : un film d'Abel Gance, *Austerlitz,* dans lequel elle prête ses traits à Joséphine de Beauharnais, première épouse de Napoléon.

Très fière d'elle, elle prend encore le temps de faire visiter aux journalistes son nouvel appartement. Moquette gris pâle, canapés de satin blanc, cuisine et salle de bains ultra-modernes, baies s'ouvrant sur un large panorama en plein ciel, en haut de la colline de Passy. C'est l'écrin parfait pour une star qui prend un nouveau départ dans la vie. Ferdilie, la servante martiniquaise du Dr Rouveix, est déjà là.

— Et vos projets professionnels, Martine ?

— *Austerlitz*, avec Pierre Mondy dans le rôle de Napoléon, pour décembre. En attendant, je vais aller parfaire ma ferme de Magagnoscq, afin que nous puissions y descendre souvent nous y reposer. Puis, en mai 1960, je tournerai ma troisième *Nathalie*.

— Et votre mari, va-t-il se contenter d'être monsieur Carol ?

— Bien sûr que non. C'est un excellent gynécologue. Il a conclu un accord avec une clinique d'accouchement, et il va bientôt commencer à travailler.

Effectivement, André Rouveix prendra son service en janvier 1960.

Cependant, si chacun se réjouit du bonheur si visible de Martine, si on la félicite de sa « super-forme », une nouvelle petite fêlure apparaît. Celle-là n'est ni du fait de Martine, ni de son mari. Mais encore une fois les chroniqueurs bien parisiens bavardent. André Rouveix ne leur plaît pas. Il n'a pas su s'attirer la sympathie des journalistes.

Dans les gazettes, on relève des petites phrases fielleuses : « A la place de Martine, je n'aurais pas ramené Rouveix à Paris », « il va perdre son bronzage », « c'est un homme à savourer sur place », etc. On le compare à ces moniteurs de ski, à ces maître-nageurs qui font la conquête des belles estivantes mais ne paient plus de mine quand ils apparaissent en tenue citadine. D'ailleurs, à l'heure de la séparation, Martine elle-même dira de lui, assez cruellement : « Il n'a pas supporté le voyage ! »

Bref, on parle trop, à tort et à travers. Pourtant, dans les nombreux échos sur Martine et son mari, on ne relève aucune ombre. Elle séjourne souvent avec lui à Magagnoscq, comme elle l'avait dit. Et lorsqu'elle revient de Rome, après huit jours de tournage, elle écarte gentiment les journalistes venus l'accueillir :

— Laissez-moi seule avec lui. Songez que nous sommes séparés depuis une longue semaine.

11

Jouer à faire semblant d'être heureux

Le bonheur parfait, l'idylle, tout est en place. On dirait un film rose. Martine et André Rouveix observent les lois de la profession de star : ils affichent leur plaisir d'être ensemble. Ils célèbrent leur premier anniversaire de mariage en amoureux en partant pour la Corse où ils se livrent aux joies de la pêche sous-marine et en fermant « la porte » du yacht qu'ils ont loué, au nez des photographes.

Mais... Il y a un mais. André Rouveix, d'abord, est très critiqué. On raconte qu'il ne travaille pas plus qu'il n'est indispensable pour conserver son poste à la clinique. Il pourrait rétorquer que Martine a besoin de sa présence constante, qu'il ne veut pas qu'elle se sente abandonnée par un mari prisonnier de son métier. Il pourrait dire encore qu'il néglige sa carrière afin de la rendre heureuse, afin qu'elle se sente protégée.

Il se tait, car tout le monde sait bien que Martine ne tient pas si bien le coup qu'il y paraît. Sans doute, l'ambiance du cinéma, la fatigue, les rendez-vous, les obligations, les tournages, tout cela y est pour beaucoup. Mais justement, s'il était toujours auprès d'elle, peut-être vivrait-elle mieux tout ce qui est inhérent à sa profession et qui la rend malade.

On sait que Martine s'est remise à boire. Certes, on la voit moins souvent sortir de son sac ses petites pilules euphorisantes ou excitantes. Certes, on ne la surprend jamais en état d'ivresse. Mais un petit whisky pour se doper avant une scène difficile, un petit whisky avant de recevoir les journalistes, pour être en forme, un petit whisky avant de se coucher, afin de trouver plus rapidement le sommeil qui tarde de nouveau à venir, cela finit par faire une bonne dose d'alcool quotidienne. Trop. Et André Rouveix baisse les bras. Il est loin le temps où il l'obligeait à jeter à la poubelle tout son arsenal de drogues et de produits de beauté !

Pourtant, Martine continue à jouer le jeu :

— J'ai de la chance d'avoir un mari comme le mien, déclare-t-elle après un déplorable incident survenu lors du tournage de *Un soir sur la plage.*

Conflit avec Annette Wademant.

L'auteur du scénario et des dialogues est une jeune femme, Annette Wademant. Elle est aussi l'assistante du metteur en scène Michel Boisrond. Comme telle, il lui arrive de donner son avis sur la direction de certaines scènes.

Et Martine n'est pas d'accord. Elle a toujours considéré les autres femmes comme des rivales en puissance. Elle ne supporte pas qu'on critique un jour sa robe, un autre jour sa voix. Elle accuse Annette de l'affamer volontairement pour l'affaiblir :

— A midi, dit-elle, elle me mettait une pilule suisse sur la langue en me disant comme à un tout petit enfant : avale ça, ça te coupera l'appétit.

Martine sait qu'elle est mince à ravir. Elle ne pèse alors que cinquante kilos. Elle ne dispose pas, étant donné sa nervosité, de grandes réserves énergétiques et elle apprécie la détente que représente l'heure du déjeuner. De là à traiter de bourreau la scénariste !

Annette Wademant, de son côté, manqua peut-être de patience. Elle connaît la réputation de la vedette. On lui a parlé de ses caprices. Voulant y couper court, elle se montre parfois maladroitement autoritaire.

Ces conflits quotidiens se terminèrent par une scène violente au cours de laquelle Martine dit à Annette « ses quatre vérités ». Puis elle commet la faute qu'aucun producteur ne pardonne à une star, fut-elle la plus grande du monde : elle déserte le plateau, se faisant « porter pâle » comme un vulgaire conscrit qui ne supporte plus d'être brimé par son adjudant.

Les techniciens du film lui envoient à Magagnoscq, où elle s'est régugiée, une superbe corbeille de fleurs accompagnée d'un gentil message : « Chère Martine, nous, on t'aime. Reviens vite. » Elle ne revient pas, butée.

C'est alors qu'intervient André Rouveix, qui obtient trois jours de congé pour « convenance personnelle ». Il part retrouver sa femme, qu'il découvre dans un état épouvantable. Crises de larmes, trépignements, colère, regrets, dépression et excitation.

Dès le lendemain, il la conduit à Antibes et se présente avec elle devant Annette Wademant. Là, il recouvre toute son autorité :

— Vous n'avez donc aucune psychologie, Madame, lui dit-il. Martine est une artiste et, comme telle, hypersensible. Si vous employez avec elle les méthodes dont elle m'a parlé, vous n'arriverez à rien.

Ce qui lui attire cette réplique prophétique :

— Martine est une femme impossible. Je ne vous donne pas un an pour divorcer.

Pour cette fois, Martine a gain de cause. Annette Wademant est contrainte de quitter la place.

Un an pour divorcer... Il n'en faudra pas tant. Déjà, des bruits alarmants circulent sur l'état de santé de Martine.

Rendons cette justice au Dr Rouveix : il se montre toujours parfaitement discret quand il s'agit de sa femme. Si confidences imprudentes il y a, elles viennent plutôt de celle qui, par une sinistre ironie du sort, tourne alors *En plein cirage.*

D'abord, on s'interroge sur les disparitions mystérieuses et régulières de la jeune femme. On raconte que les petits whiskies sont devenus de grands whiskies, puis des bouteilles de whisky et que, régulièrement, Martine est obligée de se faire désintoxiquer.

— Mensonge, proteste Martine, épouvantée. Ce n'est pas vrai, on ne m'a jamais enfermée chez les alcooliques. Jamais je ne suis entrée en clinique pour quelque chose de ce genre. Et si j'avais dû le faire, croyez-moi, j'aurais la franchise de l'avouer. La vérité est plus simple.

De nos jours, peut-être, où l'on ne jette pas l'anathème sur les éthyliques, que l'on considère comme des malades... Mais au début des années soixante, il est impensable qu'une femme avoue qu'elle boit trop. Sa réputation et sa carrière en souffriraient trop.

« *Je reprends ma liberté.* »

Alors, Martine dit n'importe quoi. Qu'elle vient de temps à autre incognito à Magagnoscq, afin de se réfugier dans une oasis de calme, qu'elle ferme portes et volets, qu'elle coupe le téléphone. Et comme il faut bien qu'elle explique ces crises de dépression, elle en rajoute, elle s'enferre. Si elle est si fatiguée, c'est parce que son mari, son docteur Miracle n'est pas ce qu'elle a cru.

Bref, deux ans à peine après sa « guérison », Martine se retrouve au même point qu'avant son départ pour les Antilles. Aux mêmes maux, elle va tenter d'appliquer les mêmes remèdes. La voilà repartie. Pour son cher Tahiti, cette fois. Et dès son retour, la nouvelle éclate :

— J'ai demandé et obtenu la séparation de corps et de biens.

Ah ! ce n'est plus l'arrivée triomphante à Nice ! De Tahiti, elle ne ramène pas avec elle un nouvel amour. En revanche, les bruits qui circulent sur son séjour là-bas n'ont rien de gai. On l'aurait vu entrer dans le plus triste état à l'hôpital de Papeete pour une cure de désintoxication. Elle aurait été la malheureuse héroïne de toute une série de scandales, qu'on se raconte sous le manteau, avec des détails sordides.

Ce n'est pas possible. On lui veut du mal. Et pourtant, Martine, qui s'étourdit dans une série d'allées et venues entre Paris et Papeete, revient à chaque fois encore plus abattue, encore plus misérable. Elle a beau tenter de faire bonne figure, quand elle parle du paradis tahitien, on a plutôt envie de pleurer.

Certains prétendent qu'elle achète des terrains là-bas, afin de s'y retirer définitivement. Il vaut mieux qu'elle place ainsi son argent que de faire des chèques en blanc, disent ses amis, fatalistes.

— Je suis heureuse qu'une longue période de scènes et de reproches soit enfin close, déclare-t-elle d'un ton légèrement provocateur.

Elle ne cache plus son opinion : André Rouveix est le responsable de tous ses malheurs, de sa rechute.

Elle semble lui reprocher son autoritarisme. Mais il est difficile de supporter un être que l'abus des drogues et de la boisson conduit parfois au bord de la folie. On ne saurait reprocher au docteur d'avoir abandonné la lutte. Mais on peut le blâmer d'avoir permis à sa femme de reprendre un métier, un style de vie que ses nerfs malades ne lui permettent pas de supporter sans avoir recours aux excitants.

Etant médecin, il savait ce qu'elle risquait en revenant vivre à Paris. On peut donc le taxer de légèreté. Même si on arrive à comprendre qu'il ait préféré placer l'argent de son épouse dans des costumes de luxe et des chaussures sur mesure plutôt que dans les drogues. Il n'est pas facile de résister aux tentations.

Bref, puisque le couple avait — d'un commun accord, semble-t-il — choisi que Martine continuât sa carrière de star, il était presque inévitable que tout craquât. Ou alors, il aurait fallu qu'André Rouveix disposât d'une fortune personnelle.

Les disputes publiques tombaient maintenant dans le sordide :

— Je crois avoir tout fait, à Paris, vitupère Martine, pour faciliter l'établissement de mon mari. Maintenant, ce sont des reproches à n'en plus finir. Je préfère les situations nettes et les scènes nuisent à mon équilibre nerveux. Je reprends ma liberté.

« Pourquoi renoncerais-je à un métier que j'aime et qui me donne toutes les satisfactions, Le Dr Rouveix se sent minimisé par ma réputation. Il pouvait y penser plus tôt. Il devait bien s'en douter. Je ne vais pas lui porter ombrage longtemps. Je lui ai mis le pied à l'étrier en ce qui concerne son recyclage à Paris, mais maintenant je vais le laisser suivre sa route tout seul. Je le quitte.

Décidément, rien ne va plus. Déchaînée, Martine détruit tout, même le passé, même les beaux souvenirs. A Papeete, elle révèle :

— Nous avons tenu notre histoire secrète. Je ne tenais pas à mettre au courant la presse qui, au moment de notre mariage, a échafaudé tout un roman ne correspondant pas à la réalité.

Colère d'une femme blessée et qui s'estime dupée. De son côté, André Rouveix, garde un silence embarrassé :

— Il s'agit simplement d'établir un nouveau contrat de mariage, sous le régime de la séparation de biens, dit-il.

Peut-être n'a-t-il pas envie de commenter les déclarations de sa femme, parce qu'elles contiennent une part de vérité. Peut-être, tout simplement, est-il las de cette histoire qui s'éternise et ne veut-il pas tomber dans le piège des disputes par journaux interposés.

Au début du mois d'août, il fait une déclaration laconique :

— Non seulement nous ne divorçons pas, mais nous venons de recevoir la notification d'enregistrement de notre mariage, célébré à Port-au-Prince le 3 août 1959.

Le 12 du même mois, Martine Carol, accompagnée de Me René Floriot, son avocat, signe et dépose une demande de divorce.

Avec l'annonce du divorce, la période noire qu'a vécu Martine paraît révolue car, dans les derniers mois de sa vie commune avec le Dr Rouveix, elle a été victime de déceptions dont l'accumulation pourrait lui donner l'impression d'être poursuivie par le destin. D'abord, le litige avec Christian-Jaque au sujet de l'appartement de la rue de l'Assomption ne se réglait pas. Puis elle eu un épanchement de synovie au coude gauche et il a fallu pratiquer une ponction. Enfin, sa mère s'est brisé le péroné. Pis encore ! elle a abandonné le tournage de *En plein cirage.*

Et voilà qu'elle reçoit un coup de téléphone de Georges Lautner, le metteur en scène du film :

— J'ai vu les premières bobines, Martine. C'est une réussite. Il faut continuer. On t'attend !

Un autre appel suit :

— Allo, Martine ! *Le cave se rebiffe* bat tous les records de recettes. Tu es si populaire, il faut qu'on fasse quelque chose ! J'ai des tas de propositions pour toi.

Enfin Ferdilie, la servante martiniquaise qui, lassée des scènes de ménage de ses patrons, était retournée dans son pays, annonce qu'elle revient chez Martine.

Le 23 juin 1962, le divorce est prononcé entre elle et le Dr Rouveix, aux torts réciproques. Martine ne réclame aucune pension alimentaire et André Rouveix ne se présente pas à la conciliation, ce qui accélère la procédure.

Martine est, encore une fois, décidée à recommencer une

nouvelle vie, ce qui témoigne d'une assez belle énergie. Lors du réveillon de la Saint-Sylvestre 1961, elle déclare à la presse, convoquée à Monte-Carlo, qu'elle ne « tournera plus n'importe quoi et n'acceptera que les propositions vraiment intéressantes ».

— Et qu'on ne craigne pas de devoir organiser des galas de bienfaisance pour me renflouer, ajoute-t-elle en riant. Je ne manque pas de ressources et je n'ai pas besoin qu'on m'entretienne. Je fournis moi-même les sommes nécessaires à ma vie quotidienne. Même si je cessais du jour au lendemain de faire du cinéma, inutile de s'inquiéter pour moi.

Opérations immobilières.

« Martine Carol est devenue une redoutable femme d'affaires », écrit Edgar Schneider.

Dans ses périodes les plus folles, il est exact qu'elle n'a jamais perdu le nord en ce qui concerne ses finances. Du côté de Magagnoscq, par exemple, elle a déjà acheté plusieurs villas, qu'elle met en location saisonnière.

Maintenant, elle va étendre le champ de ses opérations immobilières sur Tahiti. Puisqu'elle ressent le besoin de s'isoler dans les îles, de temps en temps, pourquoi d'autres personnes, qui sont, comme elles, victimes du surmenage, n'auraient-elles pas elles aussi, le désir d'y séjourner ? Si elle achète un lagon en Polynésie, si elle y fait construire des bungalows et un restaurant, dans une région moins connue et moins gâchée par le tourisme que Papeete, elle gagnera beaucoup d'argent.

Sitôt pensé, sitôt fait. Elle acquiert « la plus belle maison de la côte », à Tahiti, avec 3 000 mètres de plage. Quand elle y séjourne, elle loue la ferme de Magagnoscq. Quand elle revient en France, elle loue la maison de Tahiti.

Puis, c'est une véritable boulimie d'achats. Elle acquiert

des plantations de cocotiers, de bananiers et de caféiers. Elle fait bâtir à Tahiti deux maisons qu'elle compte vendre « quand les prix remonteront ». Pour ces affaires, en femme avisée, elle utilise un intermédiaire.

— Quand j'arrive dans l'île, les prix montent.

Elle veut aussi acheter un bateau, qui servira à promener les touristes. Toujours selon Edgar Schneider, qui a reçu ses confidences, elle possède là-bas « toute une montagne ! »

Elle s'est faite domicilier officiellement en Polynésie et la voilà qui s'occupe des affaires du territoire. Elle rêve même de se faire élire député. Le thème de sa campagne : le maintien de l'intégrité naturelle de Tahiti.

— Pour cela, dit-elle, il faut chasser le « popa ». Les « popas » sont les étrangers qui ne s'intègrent pas. Moi, je ne suis pas une vraie « popa ». Ici, on m'a adoptée. Et puis, les « popas » sont ceux qui font couper les cocotiers. Moi, je ne crains pas de recevoir une noix de coco sur la tête, même si elle tombe de quarante mètres.

« Lorsque je serai député...

Et elle expose ses projets : lutter contre la racisme, défendre le charme de l'île et, pour cela, s'opposer aux entreprises américaines. Et puis, faire adopter la mentalité tahitienne à tous ceux qui viennent s'installer ici.

— C'est ainsi, ajoute-t-elle, que nous devons considérer le cas Clouzot.

Et lorsqu'on lui demande pourquoi elle manifeste une telle animosité contre ce cinéaste, elle s'écrie, scandalisée :

— A Bora-Bora, il se croit au *Fouquet's*.

Elle fait ces déclarations explosives durant le tournage de *En plein cirage,* qui a repris à Nice. Un drôle de tournage, où Martine fait preuve de dons comiques qui ébahissent ses partenaires, Félix Marten en tête.

Le seul ennui est qu'elle se comporte dans la vie exactement comme dans le film. Tout le monde a applaudi la scène où elle injurie des agents de police. Elle la renouvelle pour de bon un jour qu'elle trouve sur sa voiture une contravention pour stationnement interdit.

Au commissariat, elle se conduit de telle sorte que le commissaire la menace de sanctions pour injures à agent dans l'exercice de ses fonctions. Elle lui répond vertement :

— Monsieur, pour parler à une dame, on se lève d'abord.

A ses amis qui lui conseillent plus de modération, plus de sagesse, elle répond :

— J'ai appris à Tahiti à n'avoir plus de complexes.

Martine, tu es finie.

La vérité est qu'elle force toujours trop sur le whisky. C'est le cercle infernal. Pour se désintoxiquer de la morphine, dont elle a pris l'habitude quand elle a été plâtrée après l'accident de *Nathalie,* elle s'est mise à boire. Tant et tant que certains disent qu'elle a des troubles hallucinatoires !

A parler franc, Martine a beau tout faire pour paraître sûre d'elle, elle est encore victime d'angoisses épuisantes. C'est l'époque où une jeune starlette d'une vingtaine d'années, Brigitte Bardot, devient la coqueluche du public. Et Martine ne sait plus si elle plaît encore, si elle a un avenir dans le cinéma, si elle ne ferait pas mieux de laisser la place aux jeunes.

Sa carrière est basée sur son charme, son sex-appeal. Or elle approche de la quarantaine. De plus, elle n'a jamais ménagé sa santé. Les stigmates de la drogue et de l'alcool la marquent. Pour paraître belle en gros plan, il lui faut désormais des heures de soins et de maquillage. Si, au moins, elle pouvait récupérer en dormant mais elle est trop nerveuse pour se reposer vraiment. Il faudrait qu'elle ait le courage de demander des rôles où on la voit moins jeune, moins belle.

Elle s'y refuse. Elle ne veut pas accepter l'inéluctable.

Elle veut qu'on l'aime, oubliant qu'on peut l'aimer pour elle-même, et non seulement pour son aspect physique.

Alors, pour pallier ce manque de confiance qui la tracasse, elle fait des conquêtes. Elle s'éprend d'un garçon de vingt-quatre ans, Jean-Marie Dallet, rencontré à Tahiti. Il répond à son amour. C'est bien la preuve qu'elle est jeune, désirable. Hélas, on devrait dire encore jeune, encore désirable.

Jean-Marie Dallet ne fera que trois petits tours dans la vie de Martine et puis s'en ira. Cette fois, ce sera le vrai grand désespoir. Peut-être pas forcément à cause de la personnalité du jeune homme mais à cause de tout ce qu'il représente, la jeunesse surtout.

Il lui revient en mémoire une parole cruelle d'André Rouveix, un jour de dispute :

— Martine, tu es finie.

Elle a bien tenté de prouver qu'elle n'était pas finie, que « la Carol » tenait encore le coup. Mais cette ultime déception amoureuse est le dernier coup du sort. Elle s'ouvre les veines.

Hôpital. Cure de sommeil. Démenti : « Non, Martine ne s'est pas suicidée. Oui, elle est très fatiguée. Oui, elle se repose. » De nouveau, le cycle infernal...

12

La fin

— A l'hôpital, on m'a sauvée, dira-t-elle après sa tentative de suicide, qu'elle finira par avouer. C'est-à-dire, on a sauvé mon corps. Pas mon esprit. A peine sortie de l'hôpital, j'ai replongé de plus belle dans le cercle infernal : alcool et somnifères.

— Pour essayer de réagir, car j'ai toujours été consciente de ma chute, j'ai tout tenté.

C'est vrai ; Martine ne manque pas de courage. Elle sauve au moins la face. Elle se joue la comédie à elle-même, la comédie de la vedette pleine d'entrain, la comédie de la femme d'affaires, la comédie de la future Mme le Député. En réalité, elle passe des journées entière à broyer du noir dans sa maison de Magagnoscq, sans se laver, sans se maquiller, avec pour seule compagnie la fidèle Ferdilie, désolée de cette déchéance, et le petit chien Dingo dont les aboiements furieux l'ont sauvée, le jour de sa tentative de suicide.

Elle ne répond même plus aux propositions des producteurs. Le téléphone est relégué loin de sa chambre. « Madame n'est jamais là. »

Pourquoi, ce soir-là, le décroche-t-elle ? Pourquoi prendra-t-elle la communication ?

Elle n'est pas de meilleure humeur que d'habitude. Elle traîne, décoiffée, sans maquillage, en paréo tahitien et les pieds nus. Et cet homme, qui demande à lui parler, qui dit s'appeler Mike Eland, elle est sûre de ne pas le connaître. Elle est sûre de ne l'avoir jamais vu.

Lui prétend le contraire. Et d'emblée, c'est la déclaration d'amour. Il ne peut plus attendre. Il arrive. La volonté complètement annihilée devant tant d'énergie, Martine ne songe pas à rabrouer l'importun. S'il veut venir, qu'il vienne. Elle ne fera pas un effort pour paraître sous son meilleur jour.

Quelques minutes plus tard, une Bentley s'arrête devant la ferme Saint-Jean. Il en descend un homme qui a davantage l'air d'un homme d'affaires que d'un play-boy. Sans paraître remarquer le négligé de la tenue de Martine, il lui baise la main et lui offre en cadeau un superbe étui à cigarettes en or. A l'intérieur est gravée cette phrase : « A Martine Carol, la plus belle fille du monde. »

Il n'en faut pas plus pour émouvoir aux larmes cette éternelle sentimentale. Elle aime qu'on l'aime. Brusquement, elle a honte de son allure, elle s'inquiète de son aspect. Depuis sa dernière déception amoureuse, elle s'est consolée en mangeant à tort et à travers. Elle a grossi.

Mike Eland ne paraît pas s'en soucier. Il lui parle. Il la fait rire. Six jours de suite, il revient. Il lui fait une cour discrète et Martine, habituée à des hommages plus directs, en conçoit une certaine admiration. C'est vraiment un gentleman.

Voilà pour la légende, colportée complaisamment par les échotiers. L'homme providentiel... Le coup de téléphone miraculeux... La vérité est moins romanesque mais presque aussi émouvante.

La vérité est que Martine, en effet, connaît Mike depuis quinze ans. Cet homme d'affaires londonien était un ami de son premier mari, Steve Crane. Il a gardé pour elle une profonde amitié et ce qu'on lui raconte sur le compte de la belle vedette le navre profondément. Il veut l'aider.

On écrira aussi que Mike a toujours été amoureux de Martine mais qu'étant lui-même marié, il avait décidé de ne plus la voir. En vérité, Mrs. Eland vit au Brésil, tandis que lui est installé à Londres.

***

Toujours est-il que, le soir quand il lui téléphone, elle répond parce que, dans sa solitude, elle est heureuse d'entendre la voix d'un vieil ami. Oui, elle est malheureuse, oui elle est au plus profond de la dépression, oui elle aurait plaisir à le revoir.

— Il est venu, dira-t-elle, chargé de cadeaux comme un père Noël et nous avons dîné. Il est reparti à 3 heures du matin. Il conduisait une Bentley blanche toute neuve, toute luisante.

Mike Eland constate tout de suite que Martine n'est pas bien portante. Il voit bien qu'elle souffre. Est-elle malade ? Est-elle bien soignée ? Elle s'écroule. Elle se confie.

Alors il agit comme elle a toujours attendu que les hommes agissent envers elle. Elle doit l'écouter, lui obéir. Il est bien décidé à la sauver. D'abord, il faut s'occuper de ces douleurs abdominales dont elle se plaint fréquemment. Il l'emmène à Londres et la présente au chirurgien de la reine.

— J'ai subi trois opérations, dit Martine, et j'ai été en danger. On m'a fait des transfusions. Et aussi j'ai dû, par force, être sevrée de tout médicament, somnifères et excitants, ainsi que d'alcool. J'ai rajeuni de dix ans. Et j'ai minci. C'est merveilleux.

Voilà donc le phénix Carol qui renaît de ses cendres. Avec le secours de la chirurgie esthétique, prétendent certains. Et qu'importe ! Si un bon lifting peut vous remonter le moral, pourquoi s'en priver ?

De son côté, Mike a demandé le divorce. Il veut épouser Martine. Sa fragilité l'a séduit. Peut-être aussi le pari impossible : la sauver de ses démons ?

En attendant des nouvelles du Brésil, ils vivent ensemble à Magagnoscq. C'est une période de calme, non pas de grande passion mais d'accord parfait.

— Comment se fait-il, lui demande-t-il un jour, que tu ne voies jamais ta mère ? Elle vit pourtant tout près d'ici, et elle est bien seule depuis son veuvage ?

— Nous sommes brouillées, répond-elle. Un jour, elle est venue me faire une scène parce que j'avais trop souvent divorcé. Elle m'a grondée, disant que j'étais une fille diabolique, que je vivais dans le péché, puisque l'Eglise n'accepte pas le divorce. Et moi, je n'ai pas eu la patience de lui donner toutes les explications nécessaires, de lui prouver que je ne vivais ni comme une folle, ni comme une vicieuse. Si une expérience conjugale se révèle impossible à continuer, le plus honnête n'est-il pas de rompre ? Après tout, je n'avais pas d'enfant et personne ne souffrait de mes divorces. Quant aux remariages, il le fallait bien. Pouvais-je rester seule ?

« Comme elle ne voulait pas comprendre, je l'ai traitée de bigote et de grenouille de bénitier. Elle est partie en me disant qu'elle ne me reverrait qu'à condition de lui présenter mes excuses, et si j'étais décidée à mener une vie convenable.

— Qu'importe ces petites histoires. Vous étiez l'une et l'autre énervées. Si je deviens ton mari, je tiens à lui être présenté le plus rapidement possible. Demande-lui un rendez-vous, dis-lui que je voudrais la connaître. Il faut bien qu'elle rencontre l'homme qui va de nouveau lui enlever sa fille !

Mme Mourer ne se fait pas prier longtemps pour connaître Mike. Si seulement celui-là pouvait rendre, enfin, sa fille heureuse ! En tous cas, elle peut rapidement constater que cet homme a déjà remis beaucoup d'ordre dans la vie de Martine. Un bon point pour lui.

Le divorce de Mike conclu, Martine et lui se marient. Notre Caroline Chérie ne joue plus les amoureuses. L'homme d'affaires n'a rien d'un play-boy. Depuis le temps qu'ils se connaissent, il serait ridicule de parler de coup de foudre, de passion subite. Martine ne dissimule même plus qu'il s'agit d'un mariage de raison, qu'elle fait une fin.

Au moins, Mike donne l'impression de tenir sérieusement à elle. Sa fortune personnelle écarte toute idée d'intérêt. Il la couvre de bijoux et de fourrures. Ce qu'elle peut gagner l'intéresse si peu qu'il la pousse à abandonner sa carrière. Il applaudit quand elle déclare :

— Maintenant. je ne m'intéresse plus au cinéma, je ne veux plus tourner. Je suis une dame de la société anglaise. J'ai des visons et des zibelines et je roule en Rolls-Royce. Désormais, j'habiterai avec mon mari un hôtel particulier donnant sur Regent's Park, un de ceux où l'on ne peut résider que si l'on obtient l'autorisation de Sa Gracieuse Majesté la reine.

L'âge des passions est révolu.

Elles sont nombreuses, les stars à avoir fini leur vie avec des hommes d'affaires, attentifs à la beauté de leur femme et détestant les voir se lever à l'aube pour aller travailler. On pourrait dire que, grâce à ce mariage, Martine prend sa retraite de reine du sex-appeal.

Elle s'est attachée, c'est vrai, à cet homme raisonnable, pondéré. En même temps, quelle belle revanche sur tous ceux qui l'ont dite finie, sur tous ceux qui n'arrêtent pas de clamer : « La Bardot a définitivement détrôné la Carol. »

Adieu le cinéma, soit. Martine Carol deviendra une lady respectable, calme, riche.

Un dernier voyage à Tahiti. Cette fois, c'est pour mettre

les affaires au net. La femme qui débarque du bateau n'est plus la « popa blonde » qui a, ces dernières années, scandalisé l'île par ses scènes d'ivresses et ses dépressions spectaculaires. C'est Mrs. Eland, accompagnée d'un gentleman très distingué.

Chacune de leurs journées est réglée, minute par minute, comme celle des hommes d'affaires. Méthodiquement, Mike tient le calendrier de leurs rendez-vous. Chaque fois qu'un problème est réglé — et toujours au mieux —, il raye le nom de son interlocuteur sur son agenda. Plus de bains, plus de boîtes de nuit, plus de tourisme. Mr. et Mrs. Eland sont là pour affaires. Martine déclare que, désormais, ils vivront à Londres et qu'elle trouve les Anglais très sympathiques.

Trois jours suffisent à tout mettre en ordre à Tahiti. Dès son retour à Paris, Martine est assaillie par les journalistes. Elle parle de Mike :

« C'est un homme épatant et la vie qu'il mène est passionnante. Elle est nouvelle pour moi. Après l'agitation que j'ai connue au cinéma, je n'aurais pas pu m'accommoder d'une existence pantouflarde. Nous voyageons. Je m'intéresse à ce qu'il fait. J'admire ce sens des affaires qu'il possède et dont moi, je suis complètement démunie. Avec lui, je ne m'ennuie jamais. »

N'empêche que pour ce quatrième mariage, il n'y a eu ni robe blanche, ni fleurs de frangipaniers. L'âge des passions, des coups au cœur est bien révolu.

On ne voit plus Martine sur les plateaux. On l'oublie un peu. Elle réapparaît un soir dans une émission télévisée d'Eliane Victor. Ce qu'elle dit est une troublante confession, surtout quand on sait qu'elle n'a même plus une année à vivre.

« Je crois que tous les êtres, enfin, qui sont sincères, aiment qu'on les aime... J'ai connu la solitude à deux aussi... C'est pire encore que d'être seule, c'est-à-dire quand on vit avec un être à qui on n'a rien à dire. C'est pire que tout, parce que jouer la comédie sans arrêt, ce n'est pas possible... »

Sur sa carrière, elle jette un regard lucide et désabusé :

« Dans *la Route au tabac,* je jouais un rôle de petite bonne femme sourde et muette en haillons. C'était un rôle difficile et je pleurais tout le temps. Les critiques ont beaucoup parlé de moi et c'est ce qui m'a lancée un peu. Mais, effectivement, dans cette pièce, j'étais à moitié à poil. C'est un fait et je crois que, peut-être, on trouvait que c'était ce que j'avais de mieux en moi... Mais après, on l'a exploité.

« J'ai essayé de faire des films de qualité comme *Lola Montès* ou *la Pensionnaire* et même *Nana.* C'était certainement difficile et malgré tout, on continuait de m'appeler « Caroline Chérie » et à me considérer comme une paire de jambes et un décolleté ».

Elle parlait aussi de la mort de Marylin Monroe, survenue le 4 août 1962 et qui l'avait bouleversée :

« Je crois, disait-elle, que je suis passée un peu par là à un certain moment. C'est dommage. Elle était seule. On aurait pu la sortir de là, sûrement. Malheureusement, elle était seule. Moi, j'ai eu un moment comme ça. On m'en a sortie de justesse. Tant mieux. Oh, c'était moins une, oui ! »

La mort, pourtant, la guette. Elle le pressent peut-être. Depuis longtemps, comme beaucoup de vedettes anxieuses, elle fréquente la voyante Françoise Robin. Bien sûr, elle cherche davantage le réconfort que la révélation de son avenir. Elle questionne, elle quémande. Une bonne nouvelle, quelque chose qui pourrait la calmer, l'aider à vivre.

S'il faut en croire Françoise Robin, ce n'est pas une bonne nouvelle qu'elle aurait pu annoncer à Martine, ce 22 août 1966. La vedette est venue chez elle pour la consulter.

« Martine a commencé par retourner la dame de cœur, raconte Françoise Robin. Cette carte la représentait seule, isolée du monde. Puis elle a posé dessus le neuf de pique et le neuf de carreau. Là, j'ai eu un coup au cœur. Aucun doute n'était possible : c'était l'annonce de sa propre mort.

Et elle devait mourir sans que personne ne soit à son chevet.

« Pour en avoir le cœur net, je lui ai demandé de retourner une quatrième carte. Elle a posé le sept de pique sur la table. C'est le signe d'une confirmation dans un avenir proche, d'une certitude absolue de la prédiction.

« Martine me regardait, inquiète, tendue. Comment aurais-je eu le courage de lui annoncer ce que je voyais ? Elle devait mourir entre quarante et cinquante ans. Je connaissais sa vraie date de naissance. »

Il n'est alors pas besoin d'être devineresse pour comprendre que l'organisme malmené de Martine Carol ne lui permettrait pas de devenir centenaire. Les drogues, l'alcool, le surmenage, son métier, l'ont usée, minée. Martine, courageuse malgré les tempêtes, lucide au-delà de tout, en est elle-même très consciente. En août 1966, elle déclarait notamment dans *Elle,* à Jean-Jacques Delacroix :

« Au fond, j'ai fait un métier pour lequel je ne suis pas tellement faite (...) Si vous aimez quelqu'un, ne permettez jamais qu'on le mette en cure de sommeil (...) J'ai pensé, " la journée va être longue " et je me suis ouvert les veines (...) Chacun se tue à sa façon, mais moi, je suis contre les pilules. Je trouve ça un peu lâche. On s'endort. Je préfère le rasoir ou le revolver, ou alors la chute d'un deuxième étage. Non. Pas le deuxième étage, ce n'est pas assez haut. J'ai essayé aussi. Je n'ai réussi qu'à me luxer une épaule. »

Durant ces années de mariage avec Mike Eland, Martine joue parfaitement son rôle. Elle affiche un bonheur un peu las, et ne parle plus de cinéma. Elle ne boude pas les réceptions mondaines, où elle tient son rang. C'est une occasion, pour elle, de prouver qu'elle est toujours belle.

Ainsi, en février 1967, elle fait partie, avec son mari, des cent cinquante personnes que Marcel Bleustein-Blanchet a invitées à Monaco pour assister à un grand gala. Il a eu la délicatesse de leur faire réserver la suite de l'hôtel de Paris qui a servi de cadre à leur voyage de noces et qu'occupait

Sir Winston lors de ses séjours sur la Côte. Il sait que Martine est toujours émue par de semblables attentions.

La première soirée s'est déroulée paisiblement. Les Eland ont dîné en compagnie de quelques amis dont Carlo Rim. Ils doivent ensuite se rendre au cinéma Gaumont, pour assister à la représentation du film *Arrive derci Baby*. Mais Martine, qui se sent lasse, demande qu'on l'excuse. Elle avertit son mari qu'elle préfère rentrer à l'hôtel et elle l'engage à rester avec leurs amis.

De retour dans sa chambre, elle tente vainement, malgré sa fatigue, de trouver le sommeil. Ce sont des choses qui arrivent quand on est trop nerveux. De plus, elle se sent angoissée à l'idée d'avoir oublié à Paris une petite sacoche noire dans laquelle elle conserve tous ses médicaments. Rien de tel pour que le sommeil vous fuit définitivement.

*
* *

De son côté, Mike Eland est allé voir un terrain qu'il a acquis pour sa femme, du côté de Saint-Tropez. Ils ont l'intention d'y faire construire une villa. En route, il s'arrête à l'aéroport de Nice, pour prendre livraison d'un paquet destiné à sa femme. Il en profite pour lui téléphoner. Elle lui fait alors part de son anxiété, à l'idée de ne pouvoir s'endormir.

Mike aurait-il dû alors faire demi-tour rapidement, afin de la rassurer ? mais ce n'est pas la première fois qu'elle a de telles angoisses. En général, Martine finit par s'endormir tranquillement. De plus, on sait aussi que l'homme d'affaires a l'habitude de respecter les emplois du temps qu'il s'est fixé. Peut-être a-t-il songé à un nouveau caprice. Aussi se contente-t-il de lui prodiguer quelques paroles rassurantes :

« N'aie pas d'inquiétude. Tu sais très bien que tu es maintenant déshabituée de tous tes médicaments et il est probable que tu vas dormir naturellement. Détends-toi et allonge-toi. Si par hasard, tu ne te sentais vraiment pas bien, appelle le concierge de l'hôtel. Je vais lui donner des directives, il t'enverra un médecin. »

En fait, peu de temps après, le concierge, suivant les ordres de Mike Eland, appelle le Dr Solamito. Celui-ci trouve la vedette bien agitée. Il lui demande si elle a pris une drogue quelconque et elle lui répond par la négative.

— Désirez-vous que je vous fasse une piqûre pour vous faire dormir ?

— C'est exactement ce que je veux.

— Vous êtes sûre de n'avoir rien absorbé ?

— Sûre. J'ai laissé tous mes remèdes à Paris.

Il est 23 heures quand le médecin fait la piqûre demandée.

Mike Eland, pour sa part, ne rentre que vers 2 h 30 du matin.

Il n'est pas particulièrement satisfait de cette intervention médicale, alors qu'il s'est efforcé d'habituer Martine, à force de tendresse, de soins, de paroles apaisantes, à ne plus prendre de tranquillisants. Néanmoins, pour que ses nuits soient calmes et qu'elle puisse profiter d'un sommeil paisible, il lui a autorisé une pilule chaque soir, régime transitoire entre l'excès et l'abstinence. Elle dort toujours si mal depuis son accident dans *Nathalie*.

De peur de l'éveiller, il entre donc très doucement dans la suite. Mais dans la chambre, la lumière est allumée et le lit vide.

Inquiet, il appelle Martine. C'est dans la salle de bains qu'il la découvre, inanimée.

Il n'y a plus rien à faire pour elle. Martine Carol n'a plus besoin de chercher le sommeil. Celui de la mort s'est emparé d'elle.

Le Dr Solamito, aussitôt convoqué, déclare après examen qu'elle a été victime d'une crise cardiaque.

*
**

Mais rien ne peut empêcher les commérages. Il n'y a pas si longtemps que Marylin Monroe est morte, dans des circonstances sinon semblables, du moins comparables. On se souvient que cet événement avait bouleversé Martine, qu'elle s'était même rendue sur la tombe de la star américaine, lors d'un séjour aux Etats-Unis.

On ne peut s'empêcher de penser au suicide.

Philippe de Font-Reaulx écrit alors : « Seul de toute la presse française, je suis en mesure de révéler le vrai secret de la mort de Martine Carol. »

Ce secret, c'est une sévère cure d'amaigrissement, qu'elle a subie afin de perdre plusieurs kilos. Pourquoi ? Parce que son mari, pour lui faire plaisir, s'est improvisé producteur et qu'elle projette de tourner un nouveau film, au titre redoutable, *L'Enfer est vide.*

La clinique d'amaigrissement est un luxueux établissement anglais, dans le Sussex. Le journaliste est arrivé la veille, Martine le matin même. En la croisant dans un couloir, il lui adresse la parole dans un anglais approximatif.

« Vous êtes français, lui répond-elle. Moi aussi. »

Puis elle décline une identité d'emprunt.

Le lendemain, il lui propose de l'accompagner dans une promenade. Elle est beaucoup moins aimable.

« On m'a prévenue que vous étiez journaliste. Vous savez donc qui je suis. Autant vous raconter les raisons de ma présence ici, cela évitera peut-être les ragots.

« Ces dernières semaines, j'avais pris trop de poids. J'ai absorbé des pilules pour me couper l'appétit et j'ai perdu plus de cinq kilos en dix jours. Cela a entraîné des étourdissements. Je me suis alors souvenue de cette adresse et je suis venue ici me faire soigner. Il paraît, selon le médecin de l'établissement, que « j'y suis allée un peu fort ». Et il m'a mise au régime végétarien avec des salades, des légumes et des fruits. Je peux manger à ma faim et je me sens déjà mieux. »

Le lendemain, il la revoit quand elle vient essayer le traitement spécial de l'établissement, appelé « Kneipp-footbath » (le bain de pied Kneipp). La séance a lieu à 21 heures. Les patients se déchaussent et marchent pieds nus dans des bains japonais. Ils se suivent à la queue leu leu dans un bassin contenant quarante centimètres d'eau glacée et dont le fond est tapissé de petits graviers. Après deux minutes de cet exercice, on saute dans un autre bassin où la température de l'eau est beaucoup plus élevée. Cette méthode a pour but d'activer la circulation sanguine. Le jeu, qu'il faut recommencer cinq ou six fois de suite, amuse beaucoup Martine mais il est trop excitant pour elle, et a de mauvaises conséquences sur son sommeil.

Philippe Font-Reaulx affirme que cette cure a porté un coup fatal à la santé de la vedette.

⁂

Une autre version des faits met directement en cause Mike Eland. Certes, on ne lui reproche pas d'avoir dupé Martine, ni de s'être servi d'elle. Au contraire : il a divorcé afin de l'épouser, il l'a choyée, couverte de cadeaux. Pour elle, il a obtenu un hôtel particulier dans un quartier très recherché de Londres. Il a acheté un appartement à Chaillot, un terrain à Saint-Tropez afin de remplacer la ferme de Martine qui, couverte d'hypothèques, a dû être vendue.

Au début de leur mariage, il l'a emmenée partout avec lui dans ses « voyages d'affaires ». Il a même cédé quand elle a parlé de refaire du cinéma...

Et il en a profité pour faire à Londres de brefs voyages.

Tout cela est très normal. Ce n'est pas parce qu'on est le mari d'une jolie femme qu'on doit toujours être derrière elle. Mike est un homme actif. Et puis, il faut bien assurer le train de vie de la maison !

Mais Martine a été mariée trois fois déjà. Trois mariages,

trois cuisants échecs. Aussi, lorsqu'elle constate une fois de plus que le quotidien semble l'emporter sur les prévenances des premiers temps, elle recommence à avoir peur. Elle n'est pas « raisonnable » ; c'est avant tout une sensitive. Le moindre différend évoque pour elle la rupture, l'abandon. Ah ! on va bien se moquer d'elle si Mike, lui aussi, la laisse tomber !

Alors, c'est de nouveau les insomnies, donc les somnifères, et, pour être gaie et dynamique lorsque Mike revient, les dopants, les euphorisants. Tout le contraire de ce qu'elle devrait faire, car Mike peut se lasser de cette femme nerveuse, incurable malgré tous ses efforts.

Nous arrivons à la nuit tragique. Vers 23 heures, Mike monte dans sa suite, à l'hôtel de Paris et trouve Martine allongée sur son lit. Il lui annonce son intention d'aller se divertir à Saint-Tropez avec une bande d'amis. Et c'est la scène. Elle ne comprend pas qu'il la laisse dans l'état de fatigue où elle se trouve. Exaspéré par ses reproches, il la quitte brusquement.

Il n'est pas à Saint-Tropez depuis une demi-heure qu'il a un remords. Il téléphone. Elle lui dit qu'elle a oublié ses médicaments et le prie d'appeler un médecin. En vérité, elle veut mourir parce qu'elle croit qu'il ne l'aime plus. Ses médicaments, elle les a retrouvés. Et, après la piqûre, elle avale un tube complet de barbituriques...

A l'appui de cette thèse, le remariage très discret, au Mexique, quelques mois plus tard, de Mike Eland. Il épouse Jasmine Nocard, une jeune femme qu'il a connue en décembre 1966. A cette date, Mike est venu à Paris visiter l'appartement que Martine l'a prié de louer. Une agence lui en trouve un, qu'il juge parfait. Pour la signature du bail, il rencontre la propriétaire, Jasmine Nocard. Elle est belle. Voyez que Martine avait des raisons d'être jalouse, de croire à l'échec de son quatrième mariage ! C'est, en tout cas, ce que prétend la rumeur publique.

La vérité est beaucoup plus simple, comme toujours. Et

beaucoup moins mystérieuse ou romantique. « La mort brutale de Martine Carol, nous a écrit Henri Chapier, n'a nullement surpris un groupe de médecins qui l'avaient examinée, deux ans plus tôt, en 1965. »

Encore un retour en arrière : cette année-là, Martine, séduite par le Val de Loire, a rêvé de s'installer dans « la douce France » chère à Ronsard. Rêve qui, pour se matérialiser, nécessite cinquante millions d'anciens francs.

Elle décide d'emprunter cette somme à une banque. Pour un prêt de cette importance, l'examen médical est obligatoire. Or les experts refusent de lui accorder cet argent. On ignore le motif officiel qui lui est alors donné, mais on apprendra plus tard, que les médecins ont diagnostiqué un important rétrécissement de l'aorte. « Il lui reste environ deux ans à vivre... »

« Quand je mourrai, a-t-elle déclaré au cours de l'émission télévisée d'Eliane Victor, quand je mourrai, le plus tard possible, je l'espère, je veux être embaumée. Et certainement, si je prévois ma mort à temps, je dirai : Mettez-moi cette robe parce que je l'aime particulièrement. Coiffez-moi. Maquillez-moi.

« Je veux être belle. Je ne sais pas ce que je deviendrai après, au bout de quelque temps... de quelques semaines dans la terre, mais de toute façon, pour moi, pour ma dernière image, je veux que tout le public et tous les gens qui m'ont connue, ils gardent l'image de cette Martine-là. »

*
* *

La veille du drame, Martine m'avait téléphoné pour me demander d'aller la retrouver à Monte-Carlo, j'étais à Cannes, à l'occasion du M.I.D.E.M. J'arrivai le lendemain matin de bonne heure à l'hôtel de Paris. Ce ne fut pas ma

« Titine » blonde que je retrouvai, mais une très belle dame dormant pour l'éternité.

Ces dernières volontés furent respectées scrupuleusement. Trop peut-être, car de nouveaux drames éclatèrent à l'occasion de cet enterrement. Il n'était pas question d'enterrer Martine à Monte-Carlo. Mme Mourer désirait que sa fille fût inhumée à Cannes, auprès de son père, dans le caveau familial.

Mais Martine avait plusieurs fois émis la volonté d'avoir, pour ses funérailles, une belle cérémonie à Paris. Mike Eland obtint gain de cause. Le désir de Martine serait exaucé. Il loua un caveau provisoire au Père-Lachaise. Ensuite, la dépouille de Martine repartirait vers Cannes...

Monte-Carlo est une ville de plaisir. Aucun convoi funéraire n'a le droit d'y circuler. C'est donc clandestinement que le corps de Martine fut transporté au cimetière, afin d'attendre le départ pour Paris.

Auparavant, Mike Eland avait veillé jalousement à ce qu'elle soit la plus belle. Dans la chambre de l'hôtel de Paris, on avait fait venir un embaumeur. Un coiffeur fixa soigneusement ses boucles. Le maquilleur donna un air de santé à son visage blêmi.

Puis on revêtit Martine d'une de ses plus belles robes, rose, ornée de vison blanc. Dernier hommage : Mike tint à ce qu'elle emportât dans la tombe ces bijoux qu'elle avait tant aimés. A l'annulaire où scintillait son alliance, ornée d'un brillant de 22 carats. A son cou, il attacha un autre brillant, en forme de cœur et deux petites médailles apportées par Mme Mourer, qui n'eut pas le courage de voir sa fille sur son lit de mort.

Puis il fallut respecter les règlements. On la coucha dans un cercueil de bois clair et un fourgon l'emporta au cimetière. C'est là que les employés des Pompes Funèbres achevèrent de mettre au point le transfert vers Paris. On la plaça dans un cercueil plombé, comme le veut la loi, puis dans un autre de bois précieux, fermé de serrures en bronze dont Mike Eland garda la clef.

Tous ces préparatifs avaient duré longtemps. Brusquement, on s'aperçut que le règlement de Monaco exigeait qu'on enlevât le corps avant le jour. Mais comme les grilles du cimetière n'ouvraient qu'à 8 heures du matin, on s'adressa directement au prince Rainier. Il était 5 heures et la nuit était noire quand le convoi prit le départ.

A Paris, autre déception. L'abbé Piéplu, le curé de Saint-Pierre-de-Chaillot, la paroisse de Martine, refusa de dire une messe mortuaire. Cela lui était interdit car Martine avait divorcé après avoir fait bénir son mariage. Puis elle avait sciemment vécu dans le péché, puisque l'Eglise ne reconnaît ni le divorce, ni la validité des mariages civils. Il accepta cependant de venir au cimetière dire une prière sur sa tombe.

C'est un vendredi matin, à 10 heures, que le convoi arrive en vue des portes du Père-Lachaise. La foule est nombreuse et pressée. L'enterrement d'une star est toujours un spectacle. Cependant, des gens pleurent vraiment lorsque passe, lentement, le fourgon croulant sous les fleurs. Martine la mal-aimée a su se faire aimer de milliers d'inconnus.

Tous ses camarades de travail sont là. On reconnaît au passage, Fernandel, Alain Delon, Claude Dauphin, Zavatta, Tino Rossi, Line Renaud.

Sur sa tombe, Fernand Gravey prend la parole au nom du Syndicat des Acteurs :

— Martine, vous laissez derrière vous le souvenir de votre générosité, de votre beauté, de votre bonté, de votre blondeur. Vous commettez, en nous quittant si vite, votre seule mauvaise action.

Raoul Ploquin parle au nom du Syndicat des Producteurs. Et tout est dit.

Quelques jours plus tard, Mme Mourer revient chercher le cercueil de sa fille afin de l'ensevelir dans le caveau familial.

Cependant, Mike Eland est inquiet. On n'enterre pas une femme avec vingt-cinq millions de bijoux sans prendre certaines précautions. Il craint que l'ultime coquetterie de Martine n'excite la convoitise de pilleurs de tombeaux. Il ne veut pas qu'elle soit troublée dans son dernier sommeil. D'autant plus que les journaux ont complaisamment décrit les joyaux.

« Je ne dormais pas, dit-il. Pendant toute la nuit qui a suivi son inhumation à Cannes, j'ai eu cette crainte de voleurs. Je voulais voir comment les tombeaux étaient protégés. Je voulais que celui de Martine fût scellé par une épaisse plaque formant blindage. Je voulais qu'une sonnerie se déclenchât si on venait à y toucher. Je voulais que des lampadaires perpétuellement allumés versent sur cette tombe une si grande lumière que personne ne pût s'en approcher sans être vu. Je savais que ses bijoux étaient une tentation. »

Accompagné d'un journaliste, du directeur des Pompes Funèbres et d'un marbrier, Mike Eland se rend au caveau de la famille Mourer. Les officiels parviennent à le dissuader de prendre toutes ces précautions.

« La dalle qui ferme le caveau, dit le marbrier, pèse près d'une tonne. Aucun voleur ne serait assez bien équipé pour la déplacer. »

« Vous êtes en France, monsieur Eland, reprend le représentant des Pompes Funèbres, pas à Chicago. Jamais une chose pareille ne pourra se produire chez nous. Tout le monde aimait tellement Martine ».

Pied à pied, Mike discute. Il veut savoir qui garde le cimetière, il évalue la hauteur des murs.

« Espérons que c'est vous qui avez raison, conclut-il. Mais il y a des bandits qui tuent pour beaucoup moins que vingt-cinq millions. Et Dieu sait s'il y a des bandes bien organisées sur la Côte d'Azur. Enfin, dans un mois, je ferai construire un mausolée de marbre rose qui sera plus solide que cette dalle. »

Les appréhensions de Mike Eland étaient justifiées. Dans

la nuit du jeudi 23 au vendredi 24, des profanateurs ouvrent le caveau, le cercueil et arrachent à cette femme morte depuis vingt jours tous ses bijoux. C'est en faisant leur ronde au petit matin que les gardiens voient les dégâts. Le cercueil est resté ouvert et le visage de Martine apparaît en pleine lumière. Ses mains, dépouillées de tout ornement, et même de son alliance, ont été séparées l'une de l'autre.

Il faut transporter le corps à l'Institut médico-légal, pour l'enquête. Mike Eland, prévenu, ferme sa porte et refuse de répondre aux journalistes. Quant à Mme Mourer, elle se désole :

« Est-elle toujours belle, au moins, et ne l'a-t-on pas abîmée ? »

Lorsque Mike Eland arrive au cimetière, la police en garde l'entrée. Inquiet, il se demande comment il supportera cette nouvelle épreuve. Mais Martine a été recoiffée, remaquillée et elle repose calmement sur le catafalque dressé à son intention. On refait le capitonnage du cercueil et on ensevelit pour la troisième fois celle dont la beauté est encore intacte.

Avant qu'on ne scelle le couvercle, Mike Eland a glissé à l'annulaire gauche de sa femme une alliance toute simple. A l'intérieur, il y a une date : celle de leur mariage.

*
**

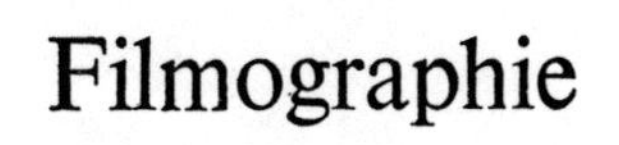

Filmographie

LE DERNIER DES SIX (1941, figuration) de Georges Lacombe.
LES INCONNUS DANS LA MAISON (1942, figuration) de Henri Decoin.
LA FERME AUX LOUPS (1944) de Richard Pottier.
BIFUR III (1944) de Maurice Cam.
TRENTE ET QUARANTE (1945) de Gilles Grangier.
L'EXTRAVAGANTE MISSION (1945) de Henri Calef.
EN ETES-VOUS BIEN SUR ? (1946) de Jacques Houssin.
VOYAGE SURPRISE (1946) de Pierre Prevert.
MIROIR (1946) de Raymond Lamy.
LA FLEUR DE L'AGE (1946, inachevé) de Marcel Carné.
CARRE DE VALETS (1947) de André Berthomieu.
LES SOUVENIRS NE SONT PAS A VENDRE (1947) de Robert Hennion.
LES AMANTS DE VERONE (1948) d'André Cayatte.
UNE NUIT DE NOCES (1949) de René Jayet.
NOUS IRONS A PARIS (1950) de Jean Boyer.
MEFIEZ-VOUS DES BLONDES (1950) de André Hunebelle.
CAROLINE CHERIE (1950) de Richard Pottier.
LE DESIR ET L'AMOUR (1951) de Henri Decoin.

ADORABLES CREATURES (1952) de Christian-JAQUE.
BELLES DE NUIT (1952) de René CLAIR.
UN CAPRICE DE CAROLINE CHERIE (1952) de Jean DEVAIVRE.
LUCRECE BORGIA (1953) de Christian-JAQUE.
LA PENSIONNAIRE (1953) de Alberto LATTUADA.
DESTINEES (1953. Episode « Lysistrata ») de Christian-JAQUE.
SECRETS D'ALCOVE (1954) de Jean DELANNOY.
MADAME DU BARRY (1954) de Christian-JACQUE.
NANA (1955) de Christian-JAQUE.
LOLA MONTES (1955) de Max OPHULS.
LES CARNETS DU MAJOR THOMPSON (1955) de Preston STURES.
SCANDALE A MILAN (1956) de Vincent SHERMAN.
LE TOUR DU MONDE EN 80 JOURS (1956) de Michael ANDERSON.
AU BORD DU VOLCAN (1957) de Terence YOUNG.
NATHALIE (1957) de Christian-JAQUE.
LE PASSAGER CLANDESTIN (1957) de Ralph HABIB.
TOUT AUPRES DE SATAN (1958) de Robert ALDRICH.
LES NOCES VENITIENNES (1958) d'Alberto CAVALCANTI.
NATHALIE AGENT SECRET (1959) d'Henri DECOIN.
AUSTERLITZ (1960) d'Abel GANCE.
LES FRANÇAISES ET L'AMOUR (1960, sketch « La femme seule ») de Jean-Paul LE CHANOIS.
UN SOIR SUR LA PLAGE (1960) de Michel BOISROND.
VANINA VANINI (1961) de Roberto ROSSELLINI.
LE CAVE SE REBIFFE (1961) de Gilles GRANGIER.
EN PLEIN CIRAGE (1961) de Georges LAUTNER.
L'ENFER EST VIDE (1966, non distribué) de John AINSWORTH et Bernard KNOWLES.
LA TOILE (1967, simple apparition dans son propre personnage).

TABLE DES MATIERES

La mort en cet hôtel 1
1. Une petite fille comme les autres 19
2. Premier amour, premier chagrin 37
3. Le mariage ou la gloire ? Il faut choisir, Martine ! 57
4. Caroline Chérie, enfin 81
5. Est-ce la roche Tarpéienne ? 97
6. Une adorable créature 115
7. Christian-Jaque 135
8. Tahiti 151
9. Tout est fini avec Christian-Jaque 163
10. « Ce n'est qu'un au revoir... » 181
11. Jouer à faire semblant d'être heureux 201
12. La fin 215
Filmographie 235

Imprimé au Canada